btb

JULI ZEH

Neujahr

Roman

btb

Ihm tun die Beine weh. An der Unterseite, wo Muskeln liegen, die man selten beansprucht und deren Namen er vergessen hat. Bei jedem Tritt stoßen seine Zehen an das Innenfutter der Turnschuhe, die fürs Joggen, nicht fürs Radfahren gemacht sind. Die billige Radlerhose schützt nicht ausreichend vor dem Scheuern, Henning hat kein Wasser dabei, und das Fahrrad ist definitiv zu schwer.

Dafür ist die Temperatur fast perfekt. Die Sonne steht weiß am Himmel, brennt aber nicht. Säße Henning auf einem Liegestuhl im Windschatten, würde ihm warm werden. Liefe er am Meer entlang, würde er eine Jacke überziehen.

Radfahren ist pure Entspannung, beim Radfahren erholt er sich, auf dem Rad ist er mit sich selbst allein. Eine schmale Schneise zwischen Beruf und Familie. Die Kinder sind zwei und vier.

Der Wind sorgt dafür, dass er nicht schwitzt. Der Wind ist heftig heute, eigentlich zu heftig. Theresa hat schon beim Frühstück zu klagen begonnen, sie klagt gern über das Wetter und meint es nicht böse, ihn nervt es trotzdem. Zu warm, zu kalt, zu feucht, zu trocken. Heute zu windig. Man kann nicht mit den Kindern raus. Den ganzen Tag im Haus bleiben müssen, dafür fährt man doch nicht in die Sonne. Es war Henning, der auf diesem Urlaub bestanden hat. Sie hätten Weihnachten zu Hause feiern können, günstig und gemütlich in ihrer großen Göttinger Wohnung. Sie hätten Freunde besuchen können oder sich im Centerpark einmieten. Aber dann wollte Henning plötzlich nach Lanzarote. Abend für Abend surfte er durchs Internet, betrachtete Fotos von weißer Gischt an schwarzen Stränden, von Palmen und Vulkanen und einer Landschaft, die aussah wie das Innere einer Tropfsteinhöhle. Er studierte Tabellen mit Durchschnittstemperaturen und schickte seine Funde an Theresa. Vor allem klickte er sich durch Bilderserien von weißen Villen, die zur Vermietung standen. Eine nach der anderen, Abend für Abend. Immer wurde es spät. Er nahm sich vor, damit aufzuhören und zu Bett zu gehen, und öffnete dann doch die nächste Anzeige. Betrachtete die Fotos, gierig, süchtig, fast so, als suche er ein bestimmtes Haus.

Da stehen sie nun, diese Villen, ein gutes Stück von der Straße entfernt, vereinzelt im Campo verstreut. Aus der Ferne gleichen sie weißen Flechten, die sich auf dem dunklen Boden festgesetzt haben. Bei mittlerer Distanz werden sie zu Anordnungen aus verschieden großen Würfeln. Erst wenn man langsam vorbeifährt, erkennt man sie ganz: beeindruckende Haciendas, häufig am Hang gelegen, das Gelände treppenförmig gestuft, umgeben von weißen Mauern mit schmiedeeisernen Toren. Vor den Haupthäusern kunstvoll verwilderte Gärten, hohe Palmen, skurrile Kakteen, üppige Bougainvilleen. In den Einfahrten meistens Mietwagen. Verschiedene Terrassen in verschiedene Himmelsrichtungen. Ringsum Panorama, Aussicht, Horizont. Vulkanberge, Himmel,

Meer. Im Vorbeifahren betastet Henning diese Anwesen mit Blicken. Er spürt, wie es sich anfühlen muss, dort zu leben. Das Glück, der Triumph, die Großartigkeit.

Ohne Theresa zu fragen, mietete er schließlich eine Ferienunterkunft für sich und die Familie, zwei Wochen in der Sonne, über Weihnachten und Neujahr. Keine Villa, sondern etwas, das sie sich leisten können. Eine Scheibe Haus zwischen anderen, die alle gleich aussehen, jede mit einer windgeschützten Terrasse und winzigem Garten. Ganz hübsch, aber wirklich klein. Der Gemeinschaftspool ist türkis und gepflegt. Zum Schwimmen ist das Wasser meistens zu kalt.

In Deutschland Schneeregen bei einem Grad plus, hat er heute Morgen zu Theresas Gejammer gesagt.

Erster-Erster, Erster-Erster, er skandiert es innerlich bei jedem Tritt in die Pedale. Der Wind ist stark und bläst von vorn. Die Straße steigt an, Henning kommt nur langsam voran. Er hat das falsche Fahrrad gemietet, die Reifen sind zu dick, der Rahmen zu schwer. Dafür hat er mehr Zeit, die Häuser zu betrachten. Er weiß, wie sie von innen aussehen, er hat die Bilder aus dem Internet im Kopf. Fliesenböden und offene Kamine. Badezimmer mit Natursteinwänden. Doppelbetten, an denen Moskitonetze wehen. Geschlossene Patios, in deren Mitte eine Palme wächst. Vorne Meerblick, hinten Bergpanorama. Vier Schlafzimmer, drei Bäder. Eine lächelnde Ehefrau in heller Leinenhose und flatternder Bluse. Glückliche Kinder, die sich vorzugsweise friedlich spielend mit sich selbst beschäftigen. Ein Mann, der stark ist, verantwortungsbewusst und liebevoll zu seiner Familie, trotzdem innerlich unabhängig und immer ganz bei sich selbst. Dieser Mann liegt im Liegestuhl und trinkt den ersten Cocktail des Tages, am frühen Nachmittag. Dicke Mauern, kleine Fenster.

Die Miete für ein solches Anwesen hätte 1.800 Euro pro Woche gekostet. Das Scheibenhaus kostet 60 am Tag. Sie haben ein Schlafzimmer mit einem 1,40er-Bett, was Henning eigentlich zu schmal findet. Ein weiteres Zimmer mit Kinderbett, Babybett und sogar einem voll ausgestatteten Wickeltisch, inklusive Feuchttüchern, Babyöl und einem kleinen Vorrat an Windeln. Auf den Regalen im Wohnzimmer stehen Thriller, die andere Feriengäste zurückgelassen haben, die meisten auf Englisch, ein paar auf Deutsch. Die Küche ist offen, draußen befindet sich ein Essplatz hinter einer großen Glasschiebetür. Im Garten eine Grillstation und gemauerte Bänke, auf denen sie abends sitzen und Wein trinken, wenn die Kinder im Bett sind. Im angrenzenden Haus auf der einen Seite wohnen junge Leute, die den ganzen Tag unterwegs sind und nur zum Schlafen zurückkommen. Auf der anderen Seite ein britisches Ehepaar über sechzig, das sich genauso gedämpft unterhält wie Henning und Theresa und sich bislang nicht über die Kinder beschwert.

Wir haben echt Glück. Wir haben es prima getroffen. Bibbi hat von der ersten Nacht an richtig gut geschlafen, im Grunde sogar besser als zu Hause, wie Theresa und Henning immer wieder beteuern. Sie versichern einander, dass es ein reizendes Haus ist, und das ist es ja auch. Das Wetter ist toll, bis auf den Wind, der erst seit heute in dieser Stärke weht. Ein paar Mal waren sie schon am Strand. Inzwischen findet Theresa, dass es eine gute Idee war, hierher zu fahren. Anfangs war sie dagegen. Henning hat so getan, als hätte er sie mit der heimlichen Buchung überraschen wollen, dabei kam es ihm nur darauf an, ihren Widerstand zu umgehen. Vorwürfe hat sie ihm deswegen nicht gemacht, das ist nicht ihre Art. Sie gibt ihm lieber stumm das Gefühl, es verbockt zu haben. Warum die Kanaren? Zu stressig, zu teuer, irgendwie überkandidelt. Es kommt nicht oft vor, dass Theresa ihre Meinung ändert. Aber jetzt ist sie gern hier, nur den Wind kann sie nicht leiden.

Der Mietwagen kostet 135 die Woche, das Fahrrad 28 am Tag. Beim ersten Einkauf im Eurospar haben sie über 300 Euro ausgegeben. Wenn sie essen gehen, belaufen sich die Rechnungen für zwei Kinder und zwei Erwachsene bei je einem Getränk auf 30 bis 50 Euro. Der Flug war günstig, allerdings findet Henning es unverschämt, dass die Kinder fast den vollen Preis zahlen. Er weiß nicht, warum er immer so genau darauf achtet, was alles kostet. Sie nagen nicht gerade am Hungertuch. Trotzdem läuft in Hennings Kopf eine Rechenmaschine, die Theresa bestimmt lächerlich fände, wenn sie davon wüsste. Er kann nichts dafür. Er registriert einfach immer den Wert der Dinge, genauer gesagt, ihren Preis. Vielleicht ist Geld das letzte verbliebene Ordnungssystem auf der Welt.

Erster-Erster, Erster-Erster.

Außer ihm sind kaum andere Fahrradfahrer unterwegs. Genauer gesagt, hat Henning noch keinen einzigen gesehen. Vielleicht hält sie der Wind in den Häusern. Oder sie schlafen ihren Rausch aus. Männer, die keine Kinder haben. Oder es besser hinkriegen als er.

Im Fahrradgeschäft haben sie ihn gefragt, was er vorhabe. Bisschen rumfahren, hat Henning geantwortet. Der Mann hat ihm ein schlankes Mountainbike empfohlen, mittleres Profil, Luftfederung. Damit können Sie auch mal über die Sandpisten brettern, hat er gesagt.

Zuhause trainiert Henning nicht mehr, er kommt einfach nicht dazu. Früher ist er jedes Wochenende gefahren, manchmal mehr als 100 Kilometer am Tag. Lanzarote, die Fahrradinsel. So heißt es im Internet. Gute Straßen, steile Hänge. Hier trainieren auch die Profis. Henning hielt es für eine gute Idee, im Urlaub die eine oder andere Tour zu unternehmen, nicht zu weit und ganz entspannt. Nun sind sie schon mehr als eine Woche hier, und er hat noch kein einziges Mal auf dem Rad gesessen. Bis heute.

Es war eine spontane Idee. Nach dem Frühstück ist er vors Haus getreten und hat zum Atalaya-Vulkan hinübergeschaut, der dunkel und schweigend den Atlantik überblickt. Da wusste Henning, er muss da rauf. Auf 500 Höhenmetern liegt das Bergdorf Femés. Die Straße ein breites, gleichmäßig ansteigendes, am Ende steil gewundenes Band. Es sah nicht weit aus. Henning rief hinter sich ins Haus: »Tschüs, kleine Radtour, bin bald wieder da«, und schloss die Tür, ohne eine Antwort abzuwarten.

Erster-Erster, Erster-Erster. Das Schöne am Radfahren ist, dass man nur treten muss. Mehr nicht. Es läuft gut. Langsam, aber gut. Bis auf die schmerzenden Oberschenkel fühlt sich Henning topfit.

Kaum zu glauben, dass sie erst eine Woche auf der Insel sind. Henning kommt es vor, als läge Weihnachten schon viel länger zurück. Irgendwie war Heiligabend ganz schön. Wobei »schön« seit vier Jahren bedeutet: schön für die Kinder. Theresa hat darauf bestanden, einen Tannenbaum zu organisieren. Gleich nach der Ankunft auf der Insel ist sie stundenlang im Mietwagen durch die Gegend gefahren, um auf einer Insel ohne nennenswerte Vegetation eine Fichte aufzutreiben. Währenddessen saß Henning mit Jonas und Bibbi im Scheibenhaus und stellte fest, wie anstrengend Urlaub mit Kindern ist, wenn man weder die Legokiste noch die Brio-Eisenbahn oder die Stofftiersammlung dabeihat.

In Hennings Vorstellung gibt es Kinder, die mit einem kleinen Garten wie dem des Scheibenhauses vollauf zufrieden wären. Stundenlang würden sie im schwarzen Kies spielen, der statt Gras die gesamte Gartenfläche bedeckt. Bibbi und Jonas tun das nicht. Manchmal fragt sich Henning, ob sie irgendetwas falsch machen. Jonas' Lieblingsfrage lautet »Was machen wir jetzt?«, und sogar Bibbi sagt schon »Mir ist langweilig«, einen Satz, den sie von ihrem Bruder gelernt hat.

Theresa meint, dass die beiden einfach noch zu klein seien, um sich allein zu beschäftigen. Die gleichaltrigen Kinder in ihrem Bekanntenkreis brauchten auch ständig ein Unterhaltungsprogramm. Aber Henning will Vater sein, nicht Entertainer oder Spielkamerad. Er denkt, dass da etwas nicht stimmt. Als Henning klein war, wären er oder seine Schwester niemals auf den Gedanken gekommen, die Mutter zu fragen, ob sie mit ihnen spielt. Schwer zu verstehen, was sich seitdem geändert hat.

Theresa musste schließlich einsehen, dass es auf der

ganzen Insel keine Tannenbäume gab, genauer gesagt, nur eine kleine Anzahl von vorbestellten Exemplaren, die ein deutscher Pflanzenhandel für deutsche Auswanderer per Schiff importieren lässt. Sie kam dann mit einem Plastikbäumchen nach Hause, fertig geschmückt und im Kofferraum versteckt, damit sie den Kindern später erzählen konnte, das Christkind habe ihn gebracht. Seit Bibbi und Jonas auf der Welt sind, zieht Theresa diese Show jedes Jahr durch. Heimlichtuerei, Christkind, Geschenke. Sie würde mitten im Himalaya einen Weihnachtsbaum organisieren und vor den Kindern verstecken. Oft fühlt sich Henning genervt von ihrer Verbissenheit, dabei weiß er im Grunde, dass er neidisch ist. Zum einen, weil Theresa kämpft, bis sie hat, was sie will. Zum anderen, weil es bei ihr früher auch vom Christkind gebrachte Weihnachtsbäume gab. Der erste Blick ins Wohnzimmer auf den mit Kerzen und bunten Kugeln geschmückten Baum gehört zu Theresas schönsten Kindheitserinnerungen.

Für Henning und Luna gab es meistens keinen Baum, und wenn doch, dann hatte die Mutter bei einem ihrer stressigen Einkäufe das kleinste verkrüppelte Tännchen mitgenommen und in den überfüllten Kofferraum gestopft. Außer Zeit fehlte der Mutter ständig das Geld. Der Vater hatte die Familie verlassen, als Henning etwa in Jonas' Alter war, vier oder fünf. Wenn Henning an seine Kindheit zurückdenkt, sieht er Mutter, Luna und sich selbst. Seinen Vater Werner sieht er nicht. An die Zeit, bevor Werner »ein neues Leben angefangen hat«, wie die Mutter es nennt, besitzt er keine Erinnerung.

Nach allem, was er weiß, ist es nicht ungewöhnlich,

dass die Erinnerung eines Menschen erst mit fünf oder sechs einsetzt. Im Verlag hat er einmal ein Buch betreut, das vom menschlichen Gedächtnis handelte. Darin hieß es, frühe Erinnerungen beruhten in Wahrheit oft auf Fotos oder Erzählungen. Man könne sie sogar erzeugen, indem man erwachsenen Menschen manipulierte Bilder aus ihrer Vergangenheit zeige. Sie erinnerten sich dann an Dinge, die gar nicht stattgefunden haben.

Das findet Henning unheimlich. Er zieht es vor, sich gar nicht zu erinnern. Tatsächlich gibt es einige Fotos von der vierköpfigen Familie: schöne Mama, blonder Henning, lachender Werner mit dunklem Schnauzbart und dazwischen die kleine Luna mit der großen Zahnlücke, die sie so entzückend frech aussehen lässt. Aber weder erkennt Henning im schnauzbärtigen Werner seinen Vater, noch kann er sich daran erinnern, wie Luna so früh ihre beiden Schneidezähne verloren hat, auch wenn die Geschichte vom Sturz mit dem Dreirad immer wieder erzählt worden ist.

Mutters Weihnachtsbäume hatten, anders als Theresas, niemals etwas mit dem Christkind zu tun. Es waren Damit-ihr-endlich-Ruhe-gebt-Bäume. Henning und Luna haben sie trotz oder vielleicht sogar wegen der krummen Ästchen geliebt. Doch daran will Henning nicht denken; wenn es nach ihm ginge, müsste er für den Rest seines Lebens keinen Weihnachtsbaum mehr sehen.

Am Heiligabend im Scheibenhaus war er Theresa dann doch dankbar für ihre Hartnäckigkeit. Mit strahlenden Augen standen die Kinder vor dem billig geschmückten Plastikbäumchen, starrten in die künstliche

Lichterkette und stupsten die bunten Kugeln mit den Fingern an. Jonas mochte vor allem die Schneemänner mit Piratenkopftuch, die an den Plastikzweigen hingen, Bibbi die Vögelchen mit Mütze. Henning stand daneben und überlegte, ob sich wenigstens Jonas eines Tages an diesen Augenblick erinnern würde. Ob irgendein Detail dieses Urlaubs erhalten bliebe.

Die Haut der Berge hat Falten, in denen Schatten wohnen. Es ist, als warte dort die Nacht auf ihren allabendlichen Einsatz. Gegen sechs Uhr wird die Dunkelheit aus den Schluchten heraufziehen und in kürzester Zeit die Insel zudecken. Tagsüber ist die Sicht überklar, die Berge sind scharf konturiert, die Farben intensiv wie nach einer Bildbearbeitung. Henning fühlt sich unwirklich in der von Flechten bedeckten Mondlandschaft, weder sein Fahrrad noch er passen hierher. Im Reiseführer hat er von den letzten, erst 300 Jahre zurückliegenden Vulkanausbrüchen gelesen. Wie damals der Timanfaya ein Drittel der Insel mit Lava überflutete. Wie er Vegetation und Tierwelt auslöschte, ganze Landstriche mit Asche und Schlacke bedeckte. Giftige Dämpfe, Salzwasser-Geysire, herausgeschleudertes Gestein. Geblieben ist eine erdgeschichtliche Stunde null. Ein mineralischer Anfang, gesichtslos und geschichtslos, stumm.

Der Reiseführer sagt, dass manche Menschen Lanzarote hassen, während andere es abgöttisch lieben. Henning weiß noch nicht, zu welcher Sorte er gehört.

Es sind jetzt die ersten Momente, in denen er mit sich und der Insel allein ist. Bislang sind die Tage mit kindgerechten Unternehmungen vergangen, Spielplatz,

Strand, Piratenmuseum, Kamelreiten. Eisessen, Kartbahn, Zoo, noch ein Eis. Wer würde es schon aushalten, den ganzen Tag mit zwei kleinen Kindern im Haus zu verbringen? Mit Kindern ist Urlaub eine Episode, in der das Leben noch anstrengender ist als sonst. Man findet keine ruhige Minute, errichtet mit aller Kraft ein Bollwerk gegen Chaos, Langeweile und schlechte Laune. Man liest im Reiseführer das Kapitel »Familie«, sucht in Supermarktregalen eine bestimmte Wurstsorte und im Fernsehen nach Kinderprogrammen. Man lernt, den Buggy in den viel zu kleinen Kofferraum des Mietwagens zu falten, man kämpft gegen die Gurte der Kindersitze, man redet viel über die Kinderfreundlichkeit der Spanier, darüber, dass sämtliche Restaurants über Hochstühle von IKEA verfügen und dass man auf den Spielplätzen auffallend viele Väter sieht. Sie wissen längst, dass Arbeit nicht mehr der Feind der Freizeit ist, sondern eine Verteidigungsstrategie gegen den Dauerzugriff der Kinder. Vom Urlaub werden sie sich in ihren Jobs erholen.

»Es ist nur eine Phase«, lautet einer von Theresas Lieblingssätzen. Manchmal versteht Henning: »Es ist nur eine Phrase.« Schlimm genug, dass beides stimmt.

Um auch den Silvesterabend familienfreundlich zu gestalten, hatten sie auf Last-Minute-Basis das Silvestermenü im Hotel »Las Olas« gebucht, und zwar die erste Schicht, Beginn 18 Uhr, vier Gänge. Ende 20:30 Uhr, weil um 21 Uhr die nächsten Gäste kamen. Das war demütigend, aber optimal für den Tagesrhythmus der Kinder, der sich auf diese Weise nur um knapp zwei Stunden verschob.

Der Speisesaal des »Las Olas« war so groß, dass man nirgendwo ein Ende sah. Tische für acht Personen standen dicht an dicht. Es roch nach Massenabfertigung. Sie hatten sich das Arrangement festlicher vorgestellt. Das Menü kostete hundert Euro pro Person; immerhin war es für die Kinder umsonst.

Theresa fing sofort an, das Beste daraus zu machen. Das-Beste-daraus-Machen ist bei ihr ein Programm, das startet, sobald etwas nicht optimal läuft. Sie entschied, mit den Kindern einen Spaziergang durch die Lobby zu unternehmen, um den mit Swarowski-Schmuck behängten Weihnachtsbaum zu bestaunen, während Henning die reservierten Plätze suchen und alles für ihre Ankunft vorbereiten sollte. Einen Hochstuhl organisieren, Feuchttücher bereitlegen, die Gläser durch mitgebrachte Plastikbecher ersetzen.

Beim Betreten des Speisesaals fühlte sich Henning wie auf einem Kreuzfahrtschiff, obwohl er noch nie auf einem gewesen ist. An den meisten Tischen saßen bereits Gäste, blickten den Neuankömmlingen erwartungsvoll entgegen oder studierten das Menü, das sie vermutlich schon auswendig konnten. Er fand es unangenehm, sich zu Fremden zu setzen. In Gegenwart anderer Menschen wird das Bändigen der Kinder zur verzweifelten Pflicht. Henning suchte Nummer 27 und gelangte schließlich an einen Tisch neben einem Springbrunnen, an dessen Grund ein paar Kois schwammen. Mindestens eine Viertelstunde Ablenkung, schätzte er. Weniger ermutigend waren die Sets aus verschiedenen Tellern, Bestecken, Gläsern und gefalteten Servietten, die es vor den Händen der Kinder in Sicherheit zu bringen galt. Erfreulich wiederum der Umstand, dass schon ein Hochstuhl bereitstand.

An der anderen Tischseite erhob sich ein älteres Ehepaar, reichte ihm die Hände, wünschte auf Deutsch frohe Weihnachten und nannte Namen, die er nicht verstand. Er sagte, dass gleich noch seine Frau mit den Kindern kommen werde, und sie sagten »Wunderbar!«, ohne dass es ironisch klang.

Henning beschloss, sich zu entspannen. Es gab allen Grund dazu. Im Rahmen des Möglichen verlief der Urlaub gut, ja, geradezu perfekt. Schon am Flughafen hatte er sie gespürt, diese besondere Atmosphäre aus Licht und Luft und Leichtigkeit. Die Spanier waren freundlich, sogar mit Kindern fühlte man sich überall willkommen. Niemand vermittelte einem das Gefühl, etwas falsch zu machen. Als wäre das Wort »Stress« noch nicht erfunden.

Allerdings ist ES in der vergangenen Nacht wieder aufgetaucht. Davon hatte er im Speisesaal des »Las Olas« noch nichts gewusst. Während er am Tisch 27 auf Theresa und die Kinder wartete, blickte er auf eine ganze Woche ohne ES zurück. Eine Woche normales Leben, normaler Schlaf, normale Probleme, normale Freuden. Seit zwei Jahren die längste störungsfreie Zeit. In den vergangenen Tagen hatte sich Henning immer wieder verboten, an ES zu denken, weil der bloße Gedanke es aus seiner Höhle locken kann. Natürlich dachte er trotzdem die ganze Zeit daran. Zu seinem Erstaunen blieb ES dennoch in seinem Loch, es hatte sich zurückgezogen, lauerte, schlummerte oder was auch immer es tat, während es ihn nicht quälte. Normalerweise verbot sich Henning auch jede Freude über die Abwesenheit von ES, weil es beim Aufkeimen von Hoffnung umso heftiger zuschlug. Aber hier, im überfüllten, überhitzten Speisesaal des »Las Olas«, erlaubte er sich ein paar vorsichtige Momente des Glücks. Warum auch nicht? Es ging ihm gut. Er war ein normaler Mensch unter Menschen. Er wurde nicht verrückt.

Das deutsche Ehepaar stammte aus Würselen, dem Ort, an dem Martin Schulz geboren ist, und erzählte gleich, dass es den momentanen SPD-Chef noch aus seiner Zeit als Buchhändler kenne. Während Henning nickte und zustimmende Laute von sich gab, hielt er nach Theresa und den Kindern Ausschau, die mit der Weihnachtsbaumbesichtigung langsam fertig sein mussten. Schließlich entdeckte er sie in einiger Entfernung, sah Theresa lachen, sie stand an einem vollbesetzten Tisch, an dem auch zwei Kinder in Bibbis und Jonas' Alter saßen. Die vier Kinderköpfe steckten zusammen, vermutlich in gemeinsamer Betrachtung eines Spielzeugs. Vielleicht führte Bibbi ihr Quietsche-Meerschweinchen vor, das sie zu Weihnachten bekommen hatte und mit dem sie überall Furore machte. Plötzlich spürte Henning, wie sehr er die Kinder liebt, so sehr, dass es manchmal die reinste Folter ist.

Theresa hob eine Hand vor den Mund und lachte so laut, dass Henning es quer durch den Saal hören konnte. Wenn er sie aus der Entfernung sieht, fällt ihm manchmal auf, wie klein sie ist, als hätte er das in all den Jahren nicht gewusst oder wieder vergessen. Kaum einen Meter sechzig und trotzdem so voller Leben. Er könnte nicht sagen, ob sie schön ist oder auch nur gut aussieht. Sie trägt ihr braunes Haar kurz geschnitten und hat einen kräftigen, kompakten Körper. Ihre Wirkung auf andere Menschen ist enorm. Jeder scheint etwas Besonderes in ihr zu sehen. Nicht nur Männer, auch Frauen suchen ihre Nähe und beginnen sofort, ihre Lebensgeschichten zu erzählen. Am meisten mag Henning ihr ansteckendes Lachen, auch wenn häufig er es ist, über den sie lacht. In letzter Zeit beginnen ihre Wangen leicht einzufallen, was niemand merkt, der sie nicht schon lange kennt. Henning nimmt es als Indiz, dass sie trotz ihrer breiten Hüften im Alter nicht fett, sondern hager werden wird. Er weiß gar nicht, was ihm lieber wäre. Er mag generell keine alten Frauen und wird trotzdem eines Tages mit einer zusammenleben. Alte Männer mag er noch viel weniger; trotzdem wird er irgendwann einer sein.

Bei diesen Gedanken streckte ES seine Fühler nach ihm aus, weshalb sich Henning beeilte, die Aufmerksamkeit auf etwas anderes zu richten. Ein Kellner trat mit einem runden Tablett voller Sektgläser an den Tisch. Henning bediente sich, das ältere Ehepaar auch. Er beschloss, dass sie Katrin und Karlchen hießen. Sie prosteten ihm zu. Er stürzte sein Glas hinunter und spürte die Wirkung sofort. Für gewöhnlich trank er wenig Alkohol, vor allem nicht so früh am Abend und nicht so schnell. Er hob einen Finger, um den Kellner ein zweites Mal an den Tisch zu bitten, und auch das nächste Glas leerte er zügig. Jetzt schien ihm das Ambiente weniger billig. Dann aßen sie eben ein Pauschalmenü in einem Pauschalhotel voller Pauschaltouristen – na und? Katrin und Karlchen waren nett, die Deko erträglich, später würde es vielleicht kurz Gelegenheit zum Tanzen geben oder einen Zauberer für die Kinder. Als er gerade dachte, dass Theresa jetzt allmählich an seinen Tisch kommen könnte, kam sie mit den Kindern herüber. Großes Hallo mit Katrin und Karlchen, als wären sie alte Bekannte. Man trank gleich auf »Du«, das war einfacher und auf der Insel üblich. Der erste Gang kam, Jakobsmuscheln, die wirklich gut schmeckten, die Kinder griffen sich jeweils ein Stück Brot und verschwanden unter dem Tisch. Als er sie zur Ordnung rufen wollte, sagte Theresa »Lass doch« und legte ihm eine Hand auf den Arm.

Der Abend entwickelte sich besser als erwartet. Das Essen schmeckte, und von Bibbi und Jonas war erstaunlich wenig zu sehen. Immer wieder liefen sie hinüber zu den Kindern an Tisch 24, mit denen sie sich anscheinend bestens verstanden. In regelmäßigen Abständen ging Theresa sie zurückholen, wobei sie immer eine Weile mit den Gästen dort plauderte, Franzosen, wie Henning inzwischen wusste. Ganz entgegen seiner Gewohnheit hatte er beschlossen, einfach sitzen zu bleiben, Sekt zu trinken und auf den nächsten Gang zu warten. Er genoss den leichten Rausch, er genoss es, die Musik zu mögen, über die sich Katrin und Karlchen beschwerten, Hits aus den Neunzigern, Lemon Tree und sogar Come As You Are, er hätte alles mitsingen können und auch Lust dazu gehabt.

Katrin und Karlchen redeten über Politik. Sie gehörten zu den Menschen, die den Medien keine Informationen, sondern Stimmungen entnehmen, und waren sich mit dem Rest der Bundesrepublik einig, dass die Reise

in den Abgrund geht. Noch immer keine neue Bundes-
regierung, dazu Brexit, Trump, AfD. Katrin wiederholte
die überall gesagten Sätze – dass sich etwas Grundlegen-
des geändert habe, dass ganz neue Zeiten auf sie zukä-
men, dass die Wahrheit angesichts von Populisten und
Sozialen Medien überhaupt keine Rolle mehr spiele. Sie
wollte darauf trinken, dass 2018 besser werde als das
Jahr davor, und Henning spielte mit, obwohl ihm das
Gerede von »postfaktisch« und »Zeitenwende« unendlich auf die Nerven ging.

Immerhin lächelten Katrin und Karlchen den Kindern zu, tranken genauso schnell Sekt wie er und fragten Theresa nach ihrem Beruf, woraufhin gleich ein an-
geregtes Gespräch über die besten Steuertricks begann.

Im Laufe des Abends vergaß Henning immer wieder,
dass er sich nicht auf einem Schiff befand. Ihm kam es
vor, als fahre der hell erleuchtete Saal über ein ruhi-
ges schwarzes Meer durch die Nacht. Als sie um neun
Uhr gehen mussten, schien Mitternacht schon drei Mal
vorüber. Theresa hatte eine Menge Zeit an Tisch 24
verbracht. Vielleicht mehr als an 27. Statt die Kinder
zu holen und zurückzukommen, hatte sie immer länger dort gestanden und Französisch geredet, mit einem
Glas Mineralwasser in der Hand.

Erster-Erster, Erster-Erster.

Von Playa Blanca aus steigt das Gelände zuerst
nur mäßig an. Es ist vor allem der Wind, gegen den
er kämpft, ein Wind, der stärker ist als die Schwerkraft, der ihn manchmal in Böen meterweit zur Seite
treibt, der ihn unbedingt zum Umkehren veranlassen
will. Henning kehrt nicht um. Weil sich sein Puls be-

schleunigt, wählt er einen kleineren Gang, passt seinen Rhythmus der neuen Übersetzung an, konzentriert sich darauf, im Takt der Pedale zu atmen und dabei die Lungen restlos zu entleeren. Ein Tritt ein, zwei Tritte aus. Es ist wichtig, die Kraft gut einzuteilen, nicht aus der Puste oder ins Schwitzen zu kommen. Geschwindigkeit spielt keine Rolle, er hat sich nur vorgenommen, den Aufstieg zu schaffen, egal, in welcher Zeit. Heute ist ein guter Tag für Femés, er fühlt sich ausgeruht trotz der beschissenen Nacht. Erster Erster, ein Tag wie geschaffen für eine Herausforderung. Er wird dem neuen Jahr gleich mal zeigen, was eine Harke ist.

Das letzte Jahr hat es nicht gut mit ihm gemeint. Obwohl alles einigermaßen glattlief, keine schweren Krankheiten, keine Todesfälle, lebte Henning im ständigen Gefühl, es stünde eine Katastrophe bevor. ES befällt ihn mittlerweile nicht nur nachts, sondern auch am helllichten Tag. Zwischen den Attacken ringt er mit der Angst vor der nächsten Attacke. Abgesehen davon gelingt es ihm nicht, seinen Platz zwischen Job und Kindern zu finden. Sein Leben gleicht einer Flucht, er kann nichts zu Ende bringen, hat für nichts richtig Zeit.

Er und Theresa arbeiten halbtags. Sie teilen sich Kinder und Beruf. Das ist ihnen wichtig. Sie haben einiges auf sich genommen, um ihr Modell bei den Arbeitgebern durchzusetzen, wobei sich Theresas Steuerbüro sogar kooperativer zeigte als der leicht linkslastige Sachbuchverlag, in dem Henning arbeitet. Der Verleger ging so weit, ihm indirekt mit Kündigung zu drohen, und lenkte erst ein, als Henning versprach, Arbeit mit nach Hause zu nehmen. »Ganztags arbeiten, halbtags verdienen«, nennt Theresa das. Immerhin kann Henning auf diese Weise voll mitmachen bei der Alltagsorganisation. »Einteilung« lautet das Zauberwort. Oft sitzt er in den frühen Morgenstunden oder spätnachts über den Manuskripten und leidet trotzdem unter dem Gefühl, die Bücher nicht mehr so intensiv betreuen zu können wie früher. Glücklicherweise hat sich noch keiner der Autoren beschwert.

Hauptsache, sie machen es nicht wie ihre Eltern. Hennings Mutter hat sich als Alleinerziehende bis auf die Knochen abgearbeitet. Auch Theresas Mutter war für die Kinder allein zuständig, während ihr Mann arbeiten ging. Für Henning und Theresa stand von Anfang an fest, dass sie etwas anderes wollen. Etwas Zeitgemäßes. Fifty-fifty statt 24/7.

Kurz nach Jonas' Geburt ließ der Vermieter ihrer Vierzimmerwohnung in Göttingen das Dachgeschoss ausbauen, sechs kleine Studentenwohnungen mit winziger Küche, winzigem Duschbad und jeweils einem Zimmer, das durch die Dachschrägen noch kleiner wird. Eins der Mini-Apartments haben Henning und Theresa als Home Office dazugemietet. Henning ist gern dort oben. Die Beengtheit der Räume, der schlichte Teppichboden, der leere Kühlschrank, die Filterkaffeemaschine in der Küche – alles erinnert ihn an seine Studentenzeit. An die Phase, in der er glaubte, alles müsse gut werden, weil er es geschafft hatte, von zuhause auszuziehen.

Meistens ist es allerdings Theresa, die das Home Office nutzt. Weil sie mehr verdient, findet Henning es selbstverständlich, ein bisschen mehr Hausarbeit zu übernehmen, was Theresa, wie sie ihn spüren lässt, auch erwartet. Nach dem Vormittag im Verlag holt er Bibbi und Jonas vom Kindergarten ab, kocht das Mittagessen, legt die Kleine schlafen, spielt mit Jonas eine Stunde Lego. Anschließend gehen sie auf den Spielplatz. Wenn Theresa am späten Nachmittag aus dem Home Office herunterkommt, ist Henning meistens mit den Kindern einkaufen oder hat schon angefangen, das Abendessen vorzubereiten. Am Wochenende bietet ihm Theresa manchmal an, für einen halben Tag die Kinder zu nehmen, damit er ein paar freie Stunden für sich hat. Dann sagt er, dass er sowieso arbeiten müsse oder dass es doch auch mal schön sei, etwas zu viert zu unternehmen. Er packt Bibbis Wickeltasche, und sie fahren zusammen in den Wildpark.

In Wahrheit ist er schon zu sehr daran gewöhnt, seine Zeit mit den Kindern zu verbringen. Sosehr ihn die Kleinen oft anstrengen und nerven – allein weiß er nichts mehr mit sich anzufangen. Zu viele Dinge hat er schon zu lange nicht mehr getan. Radfahren, Lesen, Musikhören, Freunde treffen. Aber im kommenden Jahr soll das anders werden. Ab jetzt will er drei Mal die Woche Rad fahren, mindestens, egal, was sonst passiert. Theresa wird ihn unterstützen. Sie wird es gut finden, wenn er endlich wieder etwas »macht«. Sie sagt immer, dass alles nur eine Frage der Einteilung sei.

Überhaupt ist »machen« für Theresa ein wichtiges Wort. »Etwas machen« gehört für sie zu einem gelingenden Leben. »Wir müssen mal wieder etwas machen« kann dabei alles Mögliche bedeuten, eine gemeinsame Unternehmung, Frühjahrsputz, Urlaubsplanung, eine Abendeinladung für Freunde, Familienbesuche oder das

Erstellen eines Finanzplans. In Hennings Ohren klingt »machen« meistens nach einer Drohung. Sein Lieblingswort ist »funktionieren«. Schließlich kommt es im Leben immer und überall darauf an, ob etwas funktioniert, und solange alles funktioniert, muss man eigentlich auch nichts machen.

Theresa und er funktionieren als Paar ziemlich gut. Die Arbeitsteilung in ihrer Familie funktioniert einigermaßen. Henning funktioniert mit den Kindern, so gut er kann, und im Job ausreichend, wenn auch nicht mehr so gut wie früher. In Zukunft wird das Radfahren funktionieren, um Stress abzubauen, was er dringend nötig hat. Das ist sein Vorsatz fürs neue Jahr. Zwar hatte er sich vorgenommen, es mit dem Training langsam angehen zu lassen, im Internet nach gemäßigten Strecken zu suchen, sich sorgfältig aufzuwärmen und unterwegs viel zu trinken. Aber dann ist er im gesamten Urlaub zu keiner einzigen Tour gekommen, und heute ist der Erste Erste. Höchste Zeit, dem neuen Jahr zu beweisen, dass er es ernst meint.

Das schlechte Gewissen muss er sich noch abgewöhnen. Obwohl Theresa seit Tagen sagt, er solle endlich etwas mit dem Fahrrad »machen«, das er sich ja nun extra ausgeliehen habe, fühlt er sich schlecht dabei, sie mit den Kindern allein zu lassen. Er weiß, dass er ihr dafür etwas schuldet. Um den gerechten Ausgleich wiederherzustellen, müsste er etwas Zusätzliches für Theresa beziehungsweise für die Familie tun. Aber was soll das sein, wenn er ohnehin schon seine gesamte freie Zeit mit den Kindern verbringt? In Zukunft würde er durch das Radfahren, drei Mal die Woche, ein wachsendes Schuldenkonto anhäufen, Fehlstunden, die sich nicht mehr abtragen lassen. Er versucht sich zu sagen, das Radfahren sei bereits ein Ausgleich, nämlich dafür, dass er gewöhnlich mehr Zeit als Theresa in Hausarbeit und Kinder investiert. Aber das ist Unsinn; sein Mehraufwand bei der Kinderbetreuung wird durch Theresas höheres Einkommen ausgeglichen. Das ist ihm klar, sie stehen auf Null; das Radfahren kommt obendrauf.

Wenn Henning den Kopf hebt, sieht er den Ajaches-Gebirgszug vor sich wie eine braune Wand. Hoch auf dem Bergsattel zwischen dem Gipfel des Atalaya und einer Anhöhe namens Pico Redondo kauern zwei Restaurants auf dem Pass, weiß gestrichen wie die meisten Gebäude hier, mit über den Abgrund ragenden Terrassen und Panoramascheiben, die gelegentlich in der Sonne blitzen. Die Rubicón-Ebene hat Henning fast hinter sich gebracht. In einigen Kilometern beginnt die Straßenführung durch einen Canyon zu verlaufen. Ab diesem Punkt wird das Gelände mit jedem Pedaltritt stärker ansteigen. Henning sieht auch die Stelle, wo die Straße schließlich auf die Felswand trifft. Zu zwei langen Serpentinen gekrümmt, nimmt sie das letzte, extrem steile Stück bis zum Kamm. Im gleißenden Licht wirkt die Felswand unwirklich wie ein mächtiges, verschlossenes Tor. Etwas, das einem im Traum erscheint. Etwas, das man gewiss nicht mit einem Fahrrad bezwingen kann.

Schnell schaut Henning weg. Der Steilaufstieg liegt noch ein gutes Stück voraus. Aus dem Reiseführer weiß er, dass viele Radsportler diese Strecke lieben, also kann er es schaffen, auch wenn die anderen wahrscheinlich besser trainiert und ausgerüstet sind als er. Jedenfalls bringt es nichts, sich im Vorhinein verrückt zu machen. Um sich abzulenken, konzentriert sich Henning auf die weiße Linie der Fahrbahnbegrenzung, der seine Reifen mit leisem Zischen folgen, und denkt wieder an gestern Abend.

Die Rückfahrt vom »Las Olas« in Puerto del Carmen zum Scheibenhaus in Playa Blanca dauerte eine Dreiviertelstunde. Im Auto sangen die Kinder »Atemlos durch die Nacht«, was beim Silvester-Dinner gespielt worden war. Bei Jonas klang es wie »Autolos durch die Nacht«, was Henning und Theresa so lustig fanden, dass sie ihn nicht korrigierten. Sie lächelten im Dunkeln, Henning legte Theresa eine Hand auf den Oberschenkel, während sie den Wagen durch die Inselnacht steuerte, sein Sektrausch hatte sich verflüchtigt, aber er fühlte sich immer noch seltsam befreit, wie abgetrennt vom echten Leben, von allem, was ihn beschwerte, als hätte er eine Nische gefunden, in der er sich vor sich selbst verstecken konnte. Bei Nacht sahen die Vulkane noch unwirklicher aus, dunkelschwarze Schatten vor einem hellschwarzen Himmel, als führe man durch die Kulisse eines Fantasy-Films. Der Mond lag auf dem Rücken, schmal wie ein abgeschnittener Fingernagel, die Sterne waren zahllos und hell. Es war der letzte Tag des Jahres, und Henning dachte, er sei glücklich. Er liebte seine Kinder. Er liebte seine Frau. Auch wenn sie ausgerechnet am Silvesterabend heftig mit einem Franzosen an Tisch 24 geflirtet hatte.

Im Scheibenhaus brachten sie die Kinder ins Bett, setzten sich auf die Terrasse, in Decken gewickelt, denn die Luft wurde kalt, und tranken Rotwein, weil sie vergessen hatten, Sekt zu kaufen. Als das Telefon klingelte, verdrehte Theresa die Augen und ging ins Haus. Sie wussten beide, dass es Luna war. In Deutschland schlug es zwölf, Jahreswechsel, eine Stunde früher als hier. Henning freute sich, dass Luna genau um Mitternacht an ihn dachte. Sie war auch immer die Erste, die ihm zum Geburtstag gratulierte.

»Frohes Neues, Großer!«

Er hörte, wie betrunken sie war. Sie lispelte, fast so stark wie Bibbi, was ihn zu Tränen rührte.

»Frohes Neues, Kleine. Wo bist du?«

Natürlich war Luna auf einer Party. Laute Musik im Hintergrund, Stimmengewirr. Gelegentlich wehrte sie sich kichernd gegen jemanden, der etwas von ihr wollte, vielleicht tanzen oder Raketen abschießen oder vögeln.

»In Leipzig, wo sonst. Und ihr, wie ist das Wetter?«

Henning berichtete vom Wetter und ermahnte sich, nicht die Fragen zu stellen, die ihm auf der Zunge lagen: Wer ist noch auf der Party? Wie kommst du nach Hause? Wo schläfst du heute Nacht? Nach zwei Minuten kam Theresa mit der Weinflasche zurück und schenkte ihm nach, ein Zeichen, dass er das Telefonat mit Luna beenden sollte.

Theresa konnte Luna noch nie leiden. Sie sind gleich alt, aber vollkommen gegensätzlich. Theresa hat einen Beruf, einen Mann, zwei Kinder und eine vollständig eingerichtete Wohnung. Luna hat nichts davon, dafür Essstörungen und eine Schreibkrise. Manchmal denkt Henning trotzdem, dass Theresa eifersüchtig auf sie ist.

Luna hat etwas Mysteriöses an sich, etwas Verwunschenes, als trüge sie ein dunkles Geheimnis mit sich herum. Sie ist groß, mit langen dunklen Locken, die immer ein wenig verwildert aussehen, und einer Stimme, die jede Begegnung in eine Filmszene verwandelt.

Luna will Schriftstellerin werden und erzählt jedem davon. Wenn sie über ihre Geschichten spricht, klingen sie wundervoll, moderne Märchen, düster und verführerisch, mit traurigen Figuren und überraschenden Wendungen. Leider bringt Luna wenig zu Papier. Henning glaubt trotzdem fest an ihr Talent. Luna weiß immer, was andere denken, und manchmal auch, was als Nächstes passiert. Sie wechselt ständig die Männer. Sie wechselt Wohnungen und Städte. Sie jobbt, bis sie es nicht mehr erträgt, dass die Arbeit sie vom Schreiben abhält, und versucht es dann wieder mit Schreiben, bis sie völlig pleite und überzeugt ist, keine echte Schriftstellerin zu sein. Sie telefonieren häufig. Luna erzählt von den aktuellen Katastrophen ihres Lebens, Henning sagt, dass sie besser auf sich aufpassen soll. Nicht selten bittet sie ihn um einen Schlafplatz oder um Geld. Seit sie das Home Office unterm Dach haben, kann Henning ihr gelegentlich für ein paar Tage Unterschlupf gewähren.

Jedes Mal, wenn Luna Hilfe braucht, ist Theresa strikt dagegen. Sie kann stundenlang über Luna schimpfen. Luna sei nicht tragisch, sondern verantwortungslos und faul. Wie ein kleines Mädchen erwarte sie ständig, dass alle Welt sich um sie kümmere. Und komme auch noch damit durch! Während Menschen wie sie selbst alles täten, um ihrer Verantwortung gerecht zu werden, spiele Luna lieber Märchenprinzessin. Sie solle nicht so ein Gewese um sich machen. Nicht auf fremde Kosten leben. Gefälligst endlich erwachsen werden.

Beim Reden über Luna starrt Theresa Henning wütend an, als wäre er schuld daran, wie Luna drauf ist. Dabei wünscht er selbst, Luna wäre anders. Ist sie aber nicht. Jedes Mal setzt er durch, dass sie im Home Office unterkriechen kann. Luna ist der einzige Punkt, bei dem er Theresa gegenüber hart bleibt.

»Ich kann sie verstehen«, pflegt Luna zu sagen, wenn er ihr von Theresas Unmut erzählt. »Überleg doch mal. Du und ich. Wenn es um uns geht, ist sie die Außenstehende.«

Natürlich weiß Henning, was sie meint. Du und ich. Das ist ein Pakt, ein Schwur. Die Mutter war immer beschäftigt. Sie sorgte dafür, dass Essen auf dem Tisch stand und die Familie ein Dach über dem Kopf hatte. Für mehr reichte ihre Kraft nicht. Henning hat sich um seine kleine Schwester gekümmert. Sie bildeten eine Einheit, von Anfang an.

»Ich muss Schluss machen«, sagte Henning ins Telefon.

Neben ihm stand Theresa auf der Terrasse, hatte beide Weingläser bis zum Rand gefüllt und starrte in die Dunkelheit.

»Ich auch«, sagte Luna. Im Hintergrund wurde lauter geredet, erneut rief jemand ihren Namen. »Ich klingle demnächst mal wieder durch. Kann sein, dass ich für ein paar Tage bei euch absteigen muss.«

»Mach's gut, Kleine.«

»Mach's gut, Großer.«

»Grüße von Luna«, sagte er zu Theresa, als das Gespräch beendet war. Eine Weile saßen sie schweigend da. Bis Henning anfing, über die Geschichte der Insel zu reden, dann über einen Sachbuchautor, den er für den Verlag gewinnen will. Schließlich erzählte Theresa von einem neuen Partner im Steuerbüro, der zu Jahresbeginn anfangen würde.

Als es auch auf der Insel Mitternacht wurde, standen sie auf, hoben die Weingläser, stießen an, umarmten sich, wünschten sich gegenseitig ein gutes neues Jahr. Arm in Arm blickten sie in den Himmel und warteten auf eine Sternschnuppe, die nicht fiel.

Als sie im Bett lagen, hätte Henning gerne mit Theresa geschlafen, der Gedanke an den Franzosen erregte ihn. Der Franzose hatte nicht zu der Familie an Tisch 24 gehört, keins der Kinder war seines gewesen, vermutlich war er als Freund mit zum Silvester-Dinner gekommen. Selbst auf die Entfernung hatte Henning gesehen, wie er Theresa auf die Brüste gestarrt hatte.

Theresa drehte sich weg. Sie fühle sich müde und zu betrunken. Henning dachte, dass ES jetzt vielleicht käme, aber dann schlief er ein. Wenn auch nicht für lang.

Henning hebt den Kopf. Etwas ist anders. Ein Auto rast viel zu dicht an ihm vorbei, streift fast sein Fahrrad, aber er ist zu abgelenkt, um zu erschrecken. Die Landschaft ist unverändert, die Felswand nur ein kleines Stück näher gerückt. Neben der Straße schwarzes Geröll und fleischige, sternförmige Pflanzen. Plötzlich bemerkt er den Geruch. Würzig und leicht süßlich. In einiger Entfernung steht ein weiteres Traumhaus, über dessen

Mauern sich Bougainvilleen in üppiger Fülle ergießen. Kann es sein, dass er ihren Duft bis hierhin riecht? Vom Schnuppern wird Henning schwindelig. Seine Lungen sind zu voll. Es bleibt zu viel CO_2 zurück. Zu viel CO_2 löst Angst aus, was zu weiterem hektischen Einatmen führt. Seit ES ihn heimsucht, kennt Henning den Teufelskreis der Hyperventilation. Gerade will er seine Atmung unter Kontrolle bringen, da schlägt es ihm wie ein Blitz ins Bewusstsein. Ein Bild: das Badezimmer seiner Mutter.

Dort lagen überall faustgroße Steine, rundgeschliffen und tiefschwarz. An den Abenden bemalte die Mutter sie mit allerlei Getier, Krebsen, Fischen, Seepferdchen, Skorpionen, aus lauter bunten Punkten zusammengesetzt, wunderschön anzuschauen, aber für Henning und Luna tabu. Nur angucken, nicht anfassen. Mit dem Verkauf der Steine auf Handarbeitsmärkten und später im Internet verdiente die Mutter ein bisschen dazu.

Wenn sie nicht da war, schlichen Henning und Luna manchmal ins Bad, um trotz des Verbots mit den Schätzen zu spielen. Wahrscheinlich gelang es ihnen hinterher nie, die Ordnung genau wiederherzustellen – vier Steine neben das Waschbecken, zwei große in die Dusche, alle anderen in die verschiedenen Ecken des Raums –, aber die Mutter bemerkte nie etwas oder wollte nichts bemerken. Dabei war das Bad ihr heiliger Ort. An den Wänden hingen Bilder, auch Kinderzeichnungen, mit Klebeband an die Fliesen geheftet. Neben dem Waschbecken stand ein Sessel, in dem die Mutter saß und las oder einfach an die Decke guckte, wenn sie nicht mehr konnte, was häufig geschah.

Henning hat sich nie gefragt, woher sie die glatten Steine für ihre Malerei bekam. Jetzt scheint es ihm, als könnten sie, schwarz, wie sie waren, von Lanzarote stammen. Aber ihn erschüttert etwas anderes. Es ist der Duft. Würzig und süß. Genauso hat es in Mutters Badezimmer gerochen. Und er weiß auch, woher der Duft stammte. Kein Parfüm, kein Duschgel, sondern eine Hautcreme in einem runden Tiegel aus bräunlichem Glas. Manchmal hat Luna den Deckel abgeschraubt und daran gerochen, wenn sie die Mutter besonders stark vermisste. Henning sieht das Etikett vor sich, von einer roten Borte gesäumt, darin die Aufschrift: »La Belleza Atlántica«. Damals sind ihm die Wörter geheimnisvoll erschienen, wie der Name einer Pirateninsel oder einer fernen Galaxie. Außerdem befand sich auf dem Etikett eine winzige Zeichnung, eine fleischige Pflanze mit sternförmigen Blättern. Er sieht auch den Schriftzug am unteren Rand des Schildchens: »Hecho en Canarias«.

Henning konzentriert sich aufs Atmen, aus, aus, aus, ein, er spannt die Bauchmuskeln an und drückt den letzten Rest Luft aus den Lungen, er merkt, dass es besser wäre, an etwas anderes zu denken.

Erster-Erster, Erster-Erster.

Das Bedürfnis, die eigenen Gedanken zu kontrollieren, ist fast das Schlimmste an ES. Dabei weiß Henning nicht einmal, ob Gedankenhygiene etwas nützt. Wenn er versucht, falsche Gedanken zu vermeiden, rennt er wie ein gehetztes Reh durch den eigenen Kopf. Im Grunde kann alles ES auf den Plan rufen. Das Badezimmer der Mutter zum Beispiel. Es steht für ihre verzweifelte Erschöpfung, verursacht durch Henning und Luna, die durch ihr bloßes Am-Leben-Sein Schuld trugen an ihrem Leid. Dabei war sie doch der Mensch, den sie am meisten liebten. ES öffnet die Augen.

Henning denkt an Bibbi und Jonas, an ihre hübschen Gesichter, aber dann fällt ihm ein, dass sie jederzeit krank werden oder einen Unfall erleiden können und dass dann alles zusammenbricht. ES nimmt Witterung auf.

Henning denkt an seinen Job, für den er so dankbar ist. Den er immer gern gemacht hat, bevor die Kinder kamen. Jetzt sieht er vor allem einen wachsenden Berg an Arbeit, den er vor sich herschiebt, weil die Zeit trotz nächtlicher Überstunden niemals reicht, um mit den Dingen Schritt zu halten. Immer hinkt er hinterher. Zu viele Mails in der Inbox, zu viele Manuskripte auf dem Schreibtisch. Zu viele Konferenzen mit dem Verleger, die ihm die ohnehin knappe Zeit rauben. Nach dem Urlaub wird es besonders schlimm werden. Den Rückstand von zwei weiteren Wochen holt er niemals auf. ES dehnt die Glieder.

Gefährlich auch der Gedanke an das, was er noch alles tun müsste oder will, mehr Rad fahren, öfter bei seiner Mutter anrufen, mal wieder einen Roman lesen, endlich einmal die überquellende Abstellkammer aufräumen. ES setzt zum Sprung an.

Und erst der Gedanke, dass es ihm, objektiv betrachtet, doch gar nicht so schlecht geht! Andere Menschen haben es schwerer und kommen trotzdem besser zurecht. Vielleicht macht Henning etwas grundlegend falsch, vielleicht fehlt ihm eine Fähigkeit, die andere Leute besitzen, und er weiß nicht einmal, welche das ist.

Manchmal glaubt er, dass mit seinem Leben etwas nicht stimmt. Vielleicht existiert hinter der Welt eine zweite, in der die Dinge eine andere Bedeutung tragen. Dann sieht er die Kinder an und glaubt zu spüren, dass etwas Böses in ihnen wohnt, etwas Teuflisches, Dämonisches, eine grinsende, wahnsinnige Fratze, die hinter ihren unschuldigen Mienen lauert. Oder vielleicht werden sie eines Tages plötzlich verschwinden, spurlos, von einer Sekunde auf die andere, als hätten sie nie existiert. Theresa würde sich an nichts erinnern und glauben, dass Henning verrückt würde, wenn er verzweifelt fragt, wo die Kinder sind. ES springt.

Erster-Erster. Erster-Erster.

Henning erhöht den Takt, tritt kräftiger in die Pedale, zwingt sich, trotzdem ruhig zu atmen.

Als ES vor knapp zwei Jahren zum ersten Mal auftrat, dachte er, es sei eine Magenverstimmung oder ein Infekt. Er erinnert sich genau an den Tag. Der 2. Februar 2016. Bibbi war drei Monate alt und brüllte viel, vor allem nachts. Jonas hatte gerade beschlossen, nicht mehr in den Kindergarten zu gehen, und veranstaltete jeden Morgen ein schreckliches Theater. Auf der Arbeit kämpfte Henning mit dem Autor eines Projekts, das nicht fertig wurde, obwohl es im Verlagsprogramm bereits angekündigt war. Theresa war in Elternzeit und schlecht drauf, weil das Stillen sie stresste.

Als am Nachmittag ein paar Minuten Ruhe eintraten – Bibbi war endlich eingeschlafen, Theresa mit Jonas zum Schwimmen gefahren –, lag Henning auf der Couch im Wohnzimmer, genoss jede einzelne Sekunde, in der niemand jammerte oder schrie, und litt gleichzeitig an dem Wissen, jeden Augenblick wieder gestört werden zu können. Er musste sich entspannen, dringend, wenigstens für eine halbe Stunde, am besten kurz einschlafen, denn alles in ihm schrie: Ich kann nicht mehr.

Aber je mehr er versuchte, zur Ruhe zu kommen, desto schneller schlug sein Herz. In der Magengrube kribbelte es, als stünde etwas Aufregendes bevor, ein öffentlicher Auftritt, ein schwieriges Autorengespräch oder eine Flugreise. Als es in seinen Eingeweiden zu rumoren begann, dachte Henning, er würde krank. Er dachte: Kein Wunder, und: Das hat gerade noch gefehlt. Irgendein Scheißinfekt aus dem Scheißkindergarten. Er musste sofort aufs Klo. Er lief ins Badezimmer, voller Hass auf sich selbst, weil sein Immunsystem versagte, weil er den Belastungen nicht standhielt, weil er es nicht schaffte, ausreichend für Theresa und die Kinder zu sorgen. Er stellte sich vor, wie die Magen-Darm-Grippe ihn niederwerfen würde. Wie er im Bett lag, während Theresa alles alleine machte und immer wütender wurde. Wie Jonas und Bibbi unentwegt nörgelten und schrien. Wie sich schließlich die ganze Familie bei ihm ansteckte und niemand mehr übrig wäre, der Kotze wegwischen, Betten beziehen und zur Apotheke fahren könnte.

Von der Toilette kehrte er zurück auf die Couch. Eigentlich wollte er sich einen Tee machen, fühlte sich aber zu schwach. Er legte sich hin, da begann es in seinen Ohren zu fiepen. Tinnitus, dachte er, dieses Geräusch bleibt für immer, und bei diesem Gedanken durchfuhr ihn die erste Welle kalter Angst. Seine Arme begannen zu kribbeln, an manchen Stellen schmerzte die Haut, als käme er aus großer Kälte ins Warme herein. Sein Mund war ausgetrocknet, die Kehle so eng, dass er kaum schlucken konnte. Er glaubte, keine Luft mehr zu bekommen, sprang auf, öffnete ein Fenster.

Dann begann das Stolpern. Sein Herz schlug wie rasend, setzte plötzlich aus, machte ein paar Hüpfer und nahm das gehetzte Tempo wieder auf. Bis es erneut aussetzte.

Henning wusste nicht, was mit ihm geschah. Er wusste nur, dass es aufhören musste, sofort, weil er es nicht ertrug. Er rannte Kreise durchs Wohnzimmer, zog sich an den Haaren, schlug mit der flachen Hand gegen den Kopf. Irgendwann fand sein Herz zum normalen Takt. Er bekam wieder Luft. Bibbi begann zu schreien. Dankbar für die Ablenkung holte er das Baby, trug es durch die Wohnung und machte »Sch-sch«, wobei er sich vor allem selbst beruhigte.

Henning erzählte Theresa nichts von dem Anfall. Er suchte einen Kardiologen auf. Der machte ein EKG und Ultraschall und befand, dass alles in Ordnung sei. Herzrhythmusstörungen träten bei vielen Menschen gelegentlich auf, die meisten merkten es nicht einmal. Die Ursachen seien vielfältig, Veranlagung, Stress, Verdauungsbeschwerden. Solange sich bei den Untersuchungen nichts zeige, bestehe kein Anlass zur Beunruhigung. Henning solle nach Hause gehen und sich des Lebens freuen. Und vielleicht etwas gegen den Stress tun.

Für Henning war das die schlimmstmögliche Diagnose. Wenn er nicht krank war, gab es auch nichts, das man heilen konnte.

Seitdem besucht ihn ES, wann immer es will. Es beginnt mit einem Brennen im Zwerchfell, wie eine Mischung aus Lampenfieber und Flugangst. Sein Herz fängt an zu rasen, dann zu stolpern. Hennings Körper und Geist geraten außer Kontrolle. Manchmal weckt ES ihn mitten in der Nacht. Er fährt dann aus dem Schlaf und bekommt keine Luft, muss sofort auf die Toilette, will schreien oder den Kopf an die Wand schlagen und unterlässt es, um niemanden zu wecken. Er rennt stattdessen durch den Flur, durchs Wohnzimmer, durch die Küche, bis sich sein Herz beruhigt, bis ES den Griff lockert und Henning eine halbe Stunde der Erleichterung schenkt, das armselige Glück, ein weiteres Mal überlebt zu haben.

Zwischen den Anfällen quält ihn die Angst vor den Anfällen. Sie macht es schwierig, irgendetwas anderes richtig wahrzunehmen. Für Henning ist das Leben zu einer Aneinanderreihung von inneren Zuständen geworden, schlechten, sehr schlechten und halbwegs guten. Schönes Wetter und berufliche Erfolge betreffen ihn nicht mehr. Alles Kulisse. Manchmal schaut er Theresa oder die Kinder an und weiß, dass er sie liebt, ohne irgendetwas zu empfinden. Meistens vergrößern die Kinder seine Angst. Ihre Schwäche, ihre Bedürftigkeit, ihre Forderungen. Die Vorstellung, in einer psychiatrischen Anstalt zu landen und nicht mehr für sie da sein zu können. Am schlimmsten ist, dass er nicht mehr in Ruhe denken kann, wie er es früher getan hat, einfach so vor sich hin, minutenlang, stundenlang, ohne dass von irgendeiner Seite Gefahr drohen würde.

Seltsamerweise merkt man ihm das alles offenbar

nicht an. Andere Menschen reden völlig normal mit ihm, schauen ihm ins Gesicht, stellen Fragen, machen Witze, über die er lachen soll. Während er innerlich nur damit beschäftigt ist, das Richtige zu denken, ES nicht zu wecken, die Atmung zu kontrollieren. Trotz allem erlaubt ihm die Angst vor den Anfällen, im Alltag zu funktionieren. Aber sie macht den Alltag zur Hölle. Er ist allein, eingesperrt in seinem persönlichen Fegefeuer.

Im Lauf der Monate wurde klar, dass ES nicht von selbst wieder verschwinden würde. Henning probierte alles. ES zulassen. Nicht gegen ES kämpfen. Autogenes Training. Progressive Muskelrelaxation. Kein Alkohol, keine Kohlenhydrate, kein Saccharin. ES blieb. Schließlich erzählte er Theresa davon. Sie sagte »Burnout« und empfahl, zum Psychologen zu gehen.

Henning will nicht zum Psychologen, schon beim Gedanken an den Kardiologen hebt ES den Kopf. Stattdessen hat er im Internet nachgelesen, Belastungsstörungen, Stresssyndrome, Erschöpfungsdepression. Alles, was er dort über die Ursachen liest, scheint auf ihn zu passen. Aber es passt auch auf jeden anderen, den er kennt, auf Theresa, seine Kollegen, Luna, seine Mutter. Er arbeitete sich durch die einschlägigen Webseiten, Panikattacken, generalisierte Angststörung. Fast alles, was er gelesen hat, erkennt er wieder, es beschreibt genau das, was er durchleidet. Nur dass es partout keinen Sinn ergibt, warum die Symptome ausgerechnet ihn befallen. Das sagt sich Henning immer wieder: Ihm geht es doch gut! Besser als den meisten Menschen auf der Welt. Er hat gar kein Recht auf eine Belastungsstörung. Er führt eine gute Ehe, hat zwei gesunde Kinder, eine schöne Wohnung mit Home Office, keine ernsthaften finanziellen Sorgen. Sie fahren mindestens einmal im Jahr in Urlaub. Er mag sogar seinen Job. Bibbi kommt langsam aus dem Gröbsten heraus, Jonas hat sich an die kleine Schwester gewöhnt, beide gehen in den Kindergarten, sind nicht häufiger krank als andere Kinder. Vielleicht sind sie ein bisschen anstrengender als der Durchschnitt, aber das ist, wie Henning und Theresa fest glauben, eine Folge von hoher Intelligenz.

Für ES gibt es keinen triftigen Grund. ES hat mit Henning nichts zu tun. Außer, dass es ihn bewohnt. Ein Tier, ein Parasit, ein Alien, das demnächst seine Bauchdecke durchstoßen wird. In früheren Zeiten hätte man vielleicht von einem Dämon gesprochen; vielleicht hätte man Henning exorziert.

Das Radfahren tut gut. Als würde die Angst von seinem Bauch in die Beine geleitet und dort verbrannt. Hennings Herz schlägt normal. ES hat sich zurückgezogen, sich wieder schlafen gelegt. Am liebsten würde er für den Rest seines Lebens auf dem Fahrrad bleiben. Im Grunde, denkt er, bin ich in diesem Moment völlig normal. Ein Mann im Urlaub auf einem Rad, im Kampf gegen den Wind, angespornt vom grandiosen Anblick der Landschaft. Urzeitlich, vormenschlich. Eine Neujahrsfahrt durch eine Gegend ohne Vergangenheit.

Als das nächste Auto an ihm vorbeibraust, riecht Henning Parfüm, süß und billig. Das übernächste führt Aftershave-Duft mit sich. Eins riecht nach Zigarettenrauch, ein weiteres nach schwitzenden Männern. Henning ist noch nie aufgefallen, dass man die Insassen von fahrenden Autos riechen kann. Es ist, als ob die sternförmige Pflanze etwas in ihm geöffnet hätte, einen Kanal zwischen Nase und Gehirn, durch den die Welt in ihrer ganzen Fülle hereinflutet.

Eine Herde gescheckter Ziegen riecht Henning, bevor er sie sieht. Gemächlich ziehen die Tiere über das Geröll, von Schäferhunden bewacht, knabbern hier und da an Strünken, von denen man nicht glauben würde, dass sie essbar sind. Einige der Ziegen sind schwanger, sie wirken fast breiter als lang. Gewaltig drückt der Bauch an den Seiten heraus und schwankt beim Gehen hin und her wie ein unförmiges Gepäckstück.

Henning will seine Aufmerksamkeit gerade etwas anderem zuwenden, als ihm der Hirte auffällt. Seine dunkle Kleidung verschmilzt fast mit dem Hintergrund. Er steht ein gutes Stück von der Straße entfernt, inmitten der Herde, über den Tieren aufragend wie ein Pfahl in der leeren Landschaft. Er trägt eine dunkle Mütze und ein Tuch vor dem Gesicht, das nur die Augen frei lässt. Gegen Staub und Wind, denkt Henning, das ergibt Sinn. Trotzdem ist etwas komisch. Der Mann sieht ihn an. Auf die Entfernung kann Henning die Augenpartie nicht erkennen, aber der Kerl steht ihm voll zugewandt und regt sich nicht, obwohl die Herde, die er doch eigentlich im Auge behalten müsste, langsam weiterzieht. Während sich Henning von ihm entfernt, gegen Wind und Steigung anstrampelnd, guckt der Hirte ihm nach. Er scheint sich zu drehen, ohne die Beine zu bewegen, wie eine Puppe in der Geisterbahn. Noch etwas ist komisch. Nicht das kleinste Geräusch dringt von der Herde herüber, kein Ziegenmeckern, kein Hundegebell. Das muss an der Windrichtung liegen.

Als sich Henning nach einem halben Kilometer umwendet, steht der Hirte immer noch dort, ohne seine Ziegen, die mit den Hunden ein ganzes Stück weitergezogen sind.

Henning muss wieder an gestern denken. Zwanzig vor neun ging das Dinner im »Las Olas« seinem Ende zu. Die Teller waren abgeräumt, die Gläser wurden seit geraumer Zeit nicht mehr nachgefüllt. Bald würde man die Gäste der ersten Schicht zum Gehen auffordern, um den Saal für die zweite Schicht vorzubereiten. Zum Abschluss wurde die Musik noch einmal aufgedreht. Henning erkannte einen seiner heimlichen Lieblingssongs, Ai se eu te pego, ein Sommerhit aus den vergangenen Jahren. Henning war es ein bisschen peinlich, wie gut ihm der Song gefiel. Er hatte etwas Anstachelndes, ging ihm regelrecht unter die Haut. Als er das Lied zum ersten Mal hörte, hatte er sich gleich das Video auf YouTube angesehen. Der Sänger stand auf der Bühne eines kleinen Clubs und wirkte wie ein vergnügtes Kind. Ein Junge, der zur Musik aus dem Radio singt und tanzt und dabei die Bewegungen der großen Stars kopiert. Ai se eu te pego. Oh, wenn ich dich berühre. Irgendwie ging es um Sex. Vorgetragen von einem Kindmann, der in fröhlicher Unschuld auf der Bühne stand, angehimmelt von einem weiblichen Publikum.

Es war dieses Publikum, das Henning das Video wieder und wieder anschauen ließ. Tatsächlich bestand es fast ausschließlich aus Frauen. Aber nicht irgendwelchen Frauen. Vor der Bühne tanzte eine Ansammlung von Schönheitsköniginnen, dunkel oder hell, schlank oder rundlich, lieblich oder fatal, forsch oder elegant.

Die Frauen waren nicht nur schön, sondern wirkten zugänglich und nett, lauter Mädchen von nebenan, nur eben mit den Gesichtern und Körpern von Prinzessinnen. Henning konnte sich nicht daran sattsehen, wie heiter sie waren, wie sehr sie das Konzert genossen, wie unschuldig sie tanzten und dem Sänger Kusshände zuwarfen. Oh, wenn ich dich berühre.

Was für ein unglaublicher Zufall, dass sich in irgendeinem Club der Welt, vielleicht in Lissabon, so viele schöne Frauen versammelten!

Tagelang hatte Henning den Ohrwurm im Kopf und schaltete auf der Arbeit immer wieder in das Video hinein. Bis ihm einfiel, dass das Publikum natürlich gecastet war. Vielleicht nicht das ganze Publikum, aber die ersten zehn Reihen. Das waren keine Konzertgängerinnen, sondern Models. Prototypen. Vielleicht aus ganz Europa zusammengeholt. Henning verstand nicht, warum er Tage gebraucht hatte, um das zu begreifen. Die Erkenntnis beruhigte ihn mindestens ebenso sehr, wie sie ihn enttäuschte.

Automatisch begann er zu lächeln, als im »Las Olas« die ersten Takte erklangen. Sabado na balada. Aus dem Nichts tauchten die Kinder auf und begannen, an seinen Händen zu ziehen. Sie wollten auf die Tanzfläche, die nicht mehr war als ein etwas größerer Abstand zwischen den Tischen. Dort bewegten sich bereits ein paar Touristen, klatschten, stampften, wiegten sich im Takt.

Henning hatte keine Lust, sich lächerlich zu machen, aber er freute sich, dass die Kinder zu ihm kamen. Normalerweise laufen sie zu Theresa, wenn sie etwas wollen. Wenn sie sich wehgetan haben, wenn sie krank sind oder müde oder hungrig. Auch, wenn sie gestreichelt werden wollen oder etwas suchen oder beim Spiel nicht weiterwissen. Theresa sagt dann: »Ihr habt einen Vater, und der hat Hände und Füße, warum fragt ihr nicht den?« Und wirft ihm genervte Blicke zu, als wäre es seine Schuld, dass die Kinder sie bevorzugen.

Vor Jahren hat Henning als Lektor ein Buch über Kinder betreut, dessen Erfolg bis heute seine Stelle finanziert. Es heißt »Das gemachte Ich« und handelt davon, dass Kinder von ihrer Umwelt, also von den Eltern, in bestimmte Rollen gedrängt werden, die sie ein Leben lang einüben und beibehalten.

Als Henning mit dem Autor am Text arbeitete, hatte er selbst noch keine Kinder. Auch der Autor hatte keine, was weder Henning noch den Verleger misstrauisch machte; immerhin hatte der Autor Neurophysiologie und Sozialwissenschaften studiert. Inzwischen geben ihnen die Verkaufszahlen sowieso in allem recht.

Heute weiß Henning, dass das Buch kompletter Schwachsinn ist. Kinder sind, was sie sind. Seit frühester Kindheit spielt Jonas mit Baggern und Bibbi mit Puppen, obwohl weder Henning noch Theresa dem klassischen Geschlechtermodell entsprechen. Und sie schreien nach Mama. Bibbi und Jonas interessieren sich nicht für die Regeln der modernen Emanzipation. Sie wollen Mama, weil sie Mama ist. Hennings Schicksal besteht darin, zum Opfer von Büchern wie »Das gemachte Ich« zu werden. Wenn das Verhalten der Eltern das Wesen der Kinder bestimmt, ist Henning schuld daran, dass die Kinder Theresa mit ihren Bedürfnissen auf die Nerven gehen. Deswegen ist Theresa gereizt und manchmal tagelang kurz vorm Explodieren. Weil sie hinter der Mama-Bezogenheit der Kinder Hennings mangelnde Bereitschaft sieht, die Vaterrolle tatsächlich auszufüllen.

Dabei ist er bereit. Er will es. Glaubt er. Es ist nicht seine Schuld, dass die Kinder ihn nicht wollen.

Aber gestern Abend haben sie *ihn* auf die Tanzfläche gezogen, und er ist gern mit ihnen gegangen. Er hat sie, leicht gebückt, an den kleinen Händen gehalten und sich hin und her ziehen lassen von ihren unrhythmischen Bewegungen. Andere Kinder taten das Gleiche mit ihren Eltern. Henning sang sogar mit, Ai se eu te pego, ai se eu te pego, und Bibbi machte große Augen, als die fremdartigen Worte aus seinem Mund kamen. Er hob sie hoch und wirbelte sie im Kreis. Dann Jonas. Sie juchzten, es machte Spaß.

Bis Henning das tanzende Pärchen sah. Es dauerte Sekunden, bis er Theresa erkannte. Erst war da nur ein Paar, Frau und Mann, die Körper wie Puzzleteile ineinandergefügt. Ein zweiköpfiges Wesen mit vier Beinen, ihre Rechte von seiner Linken umschlossen, die Arme ausgestreckt wie zum Tango.

Das Paar teilte die kleine Menge auf der Tanzfläche. Die Schritte griffen perfekt ineinander, als hätten sie ihr halbes Leben für diesen Augenblick trainiert. Anscheinend war Ai se eu te pego die perfekte Tanzmusik. Einige Gäste blieben stehen, sahen zu und klatschten. Man machte ihnen Platz. Der Franzose hielt Theresa fest, als wollte er sie nie wieder loslassen. Dann plötzlich schob er sie von sich, ließ sie unter seinem Arm um die eigene Achse wirbeln und zog sie wieder an sich. Sie warf den Kopf zurück und lachte, so laut, dass es über der Musik zu hören war.

Auch Henning und die Kinder blieben stehen. Jonas fragte: »Wer ist der Mann?« Bibbi sah aus, als würde sie gleich weinen. Ihr entsetztes Gesicht machte Henning klar, was gerade geschah. Er fühlte nichts, keine Eifersucht, keinen Ärger, als ob etwas in ihm gestorben wäre. Da war etwas, aus dem es kalt heraufwehte. Dann schloss sich die Kluft. Henning und die Kinder kehrten an Tisch 27 zurück, bevor das Lied zu Ende war. Henning fing an, aufzuräumen und ihre Sachen zu packen. Er verabschiedete sich von Katrin und Karlchen.

»Hat Spaß gemacht«, sagte er.

Theresa kam an den Tisch und hakte sich bei ihm unter, immer noch lachend, ein wenig verschwitzt.

»Der kann tanzen«, sagte sie und winkte Kathrin und Karlchen zu, bevor sie den Speisesaal verließen.

Erster-Erster, Erster-Erster.

Als Henning das nächste Mal vorausschaut, ist die Felswand ein großes Stück näher gerückt. Ein zu großes Stück, gemessen an Zeit und Geschwindigkeit. Als hätte ein zu Scherzen aufgelegter Riese den Berg näher herangeschoben, während Henning nicht hinguckte. Vielleicht eine optische Täuschung aufgrund der Lichtverhältnisse. Er befindet sich jetzt am Anfang des Canyons. Noch ein paar Kilometer, dann trifft die Straße auf die Felswand. Henning bekommt Angst. Keine neurotische, sondern echte. Furcht vor dem Berg. Wie vor etwas Gefährlichem, das ihm gegenübersteht, ohne dass er weiß, ob er es bezwingen kann.

Schon hier wird es ziemlich steil. Links und rechts

der Straße verschwinden die sternförmigen Pflanzen, das Geröll geht in felsigen Untergrund über. Henning betätigt die Gangschaltung. Er hatte sich vorgenommen, die kleinen Gänge bis ganz zum Schluss aufzusparen, damit er immer noch eine Reserve hat, wenn die Anstrengung unerträglich wird. Aber er muss jetzt sofort runterschalten, wenn er nicht umfallen will. Er wechselt den vorderen Kranz, achter, siebter, sechster, fünfter, erst im vierten kann er wieder richtig treten. Sein Tempo hat sich auf Schrittgeschwindigkeit verlangsamt. Wiegetritt.

Es geht nicht um Schnelligkeit. Es geht darum, es überhaupt zu schaffen. Seine Beine brauchen eine Pause, aber auch die Pausen will Henning sich aufheben, bis der eigentliche Steilaufstieg beginnt. Wenn nur der Wind nicht wäre. Ohne Wind wäre das alles kein Problem. Sein Mund ist trocken, die Kehle rau, jeder Atemzug schmerzt. Dass er kein Wasser mitgenommen hat, ist ein Witz. Auch die Schuhe sind ein Witz, seine Zehen fühlen sich an, als hätte man sie mit dem Hammer malträtiert. Die wunden Stellen zwischen den Oberschenkeln spürt er schon fast nicht mehr.

Ich muss die Nerven behalten, denkt Henning. Nicht kämpfen, nicht wütend werden, immer nur die nächsten zwei Meter im Auge behalten. Stoisch treten, spüren, dass es möglich ist. Dass jeder weitere Meter bewältigt werden kann. Denn wenn er jeden einzelnen weiteren Meter schafft, schafft er den Berg.

Ein-aus-aus. Ein-aus-aus.

Henning erhöht die Atemfrequenz, einen Tritt ein, zwei Tritte aus, und achtet verstärkt darauf, die Lunge gründlich zu entleeren. Bei diesem schnelleren Takt muss er mit Druck ausatmen, es zischt zwischen den Zähnen.

An etwas anderes denken. Nicht an den Berg.

Nachdem er mit Theresa auf der Terrasse des Scheibenhauses Rotwein getrunken und aufs neue Jahr angestoßen hatte, gingen sie bald ins Badezimmer, um sich bettfertig zu machen. Was bringt es, lange aufzubleiben, wenn die Kinder um sechs Uhr früh auf der Matte stehen? Beim Zähneputzen fing Theresa an, über den Franzosen zu sprechen. Henning verstand nicht, warum sie das tat. Vielleicht wollte sie ihn quälen. Oder es machte ihr einfach Freude, den Flirt noch einmal zu durchleben, während Henning ihr völlig gleichgültig war. Sie sprach mit ihm wie mit einem beliebigen Bekannten. Er war nur ein Zuhörer, in dessen Ohren sie ihr Erlebnis kippen konnte.

Während sie plaudernd an Tisch 24 gestanden sei, habe der Franzose sie die ganze Zeit angesehen. Er habe wie ein Fremdkörper am Tisch gesessen, sich mit niemand anderem unterhalten und immer nur auf Theresa geblickt, als sei sie das einzige andere menschliche Wesen im Saal. Irgendwann habe er zu ihr gesagt, dass ihre Augen wie Sterne seien, und sie habe erwidert, dass seine Augen eher einem Röntgengerät glichen. Darüber hätten sie beide so lachen müssen, dass ihnen die Tränen kamen. Danach sei das Eis gebrochen gewesen. Sie hätten sich bestens unterhalten. Natürlich auf Französisch. Nicht, dass Theresa gut Französisch spräche. Sie hat einfach keine Hemmungen. Aus ihrer Sicht ist Kommunikation eine Frage des Willens, jedenfalls im euro-

päischen Raum. Sie benutzt möglichst viele Fremdwör-
ter, hängt Endungen an und spricht das Ganze so aus,
wie es ihr für das jeweilige Land passend erscheint. Und
damit hat sie Erfolg. Auch die Spanier auf Lanzarote
verstehen sie. Henning hat Angst vor scheiternder Kommunikation. Im Ausland fühlt er sich lächerlich und
hilflos und ist schon froh, wenn er nicht Englisch sprechen muss. Theresa läuft immer gleich los und quatscht
jeden an, und dann wirft sie Henning vor, dass er sie
alles allein machen lässt.

Ab diesem Moment sei klar gewesen, was der Franzose von Theresa wollte. Nicht etwa vögeln, nein, er
wollte tanzen. Theresa habe es Spaß gemacht, sich
immer wieder zu entziehen. Während des gesamten
Abends habe der Franzose sie mit Blicken, Gesten und
Worten verfolgt. Wenn sie an den Tisch gekommen sei,
um nach den Kindern zu sehen, habe er sie gleich wieder in ein Gespräch verwickelt.

»Er hat mich regelrecht gestalkt«, sagte Theresa und
lachte.

»Und am Ende hat er gewonnen«, sagte Henning.

»Es war toll.« Theresa spuckte Zahnpasta ins Waschbecken. »Toller Song. Wir passten perfekt zusammen.
So etwas habe ich noch nie erlebt.«

»Warum erzählst du mir das?«, fragte Henning.

»Weil du mein Mann bist«, sagte sie. »Weil ich dir
nichts verheimlichen will.«

Henning wusste nicht, was sie ihm nicht verheimlichen wollte. Er wusste nur, dass ES sich regte. Im Bett
legte er Theresa eine Hand auf die Hüfte. Aber sie
drehte sich weg.

Müde. Zu betrunken.

Der Wind wird stärker. Er kommt von vorn, die ganze Zeit. Noch immer ist er ein härterer Gegner als die Schwerkraft. Jedes Mal, wenn Henning denkt, es könne unmöglich noch heftiger werden, trifft ihn eine Bö und bringt ihn für Sekunden zum Stillstand, so dass er fast umfällt. Er schaut jetzt nur noch auf Vorderrad und Straße. Er konzentriert sich ganz auf seinen Bewegungsapparat. Immer wieder überprüft er den Körper, fordert jeden einzelnen Muskel auf, sich zu entspannen, nicht zu verkrampfen, fühlt, welche Bereiche der Muskulatur tatsächlich für sein Fortkommen unerlässlich sind und welche er lockern kann. Tritt drei Mal in Folge stärker mit dem linken Bein, dann mit dem rechten, um der jeweils anderen Seite eine kurze Pause zu gönnen. Der Wind drückt wie etwas Körperliches. Wie ein Lebewesen, das um jeden Preis verhindern will, dass Henning diesen Berg erklimmt.

Die Nacht wurde schrecklich. In den letzten zwei Jahren hat Henning eine Menge schrecklicher Nächte erlebt, aber die vergangene rangiert auf der Horrorskala ganz oben. ES weckte ihn um zwei. Vielleicht wurde es gerade deshalb so schlimm, weil Henning angefangen hatte, sich sicher zu fühlen. Weil er dumm genug gewesen war zu hoffen, hier auf Lanzarote könne ihm nichts passieren.

Ein ums andere Mal hat Henning im Internet gelesen, dass man an Panikattacken nicht stirbt, egal, wie sie sich anfühlen, egal, wie heftig sie sind. Ein körperlicher Ausnahmezustand, der keine bleibenden Schäden verursacht. Aber es half nichts, sich das zu sagen. Henning war überzeugt, diese Nacht nicht zu überleben. Was sein Herz veranstaltete, hatte mit Stolpern nichts mehr zu tun. Eher mit einem epileptischen Anfall. Henning rannte Kreise im kleinen Garten des Scheibenhauses, unter einem majestätisch aufgespannten Sternenzelt, über das die hellen Striche von Sternschnuppen zuckten, auf die er mit Theresa vergeblich gewartet hatte. Stumm schrie er das Universum an, ihm zu helfen. Seine Brust aufzuschnüren und herauszureißen, was ihn quälte. Er wollte einen Notarzt rufen, wusste aber, dass sie nichts finden würden, wenn er endlich ins Krankenhaus kam. Als sein Herz auf normal schaltete, ließ er sich in den schwarzen Kies fallen und weinte vor Glück.

Nachdem er sich wieder ins Bett gelegt und gegen fünf Uhr früh wider Erwarten noch einmal eingeschlafen war, weckte ihn nicht viel später das Klingeln von Theresas Handy. Es waren ihre Eltern, die ein gutes neues Jahr wünschen wollten und die Zeitverschiebung nicht bedacht hatten. Mit geschlossenen Augen auf dem Rücken liegend, lauschte er Theresas brummigen Antworten. Er hörte auch, was die Eltern sagten. Rolf und Marlies sprechen immer so laut ins Telefon, als müssten sie die Entfernung mit der bloßen Kraft ihrer Stimmen überbrücken. Häufig sitzen sie zu zweit vor dem Handy, bei eingeschalteter Lautsprecherfunktion, mit dem Enthusiasmus von Spätanwendern, die wenigstens ein Geheimnis ihres Smartphones gelüftet haben. Sie benutzen auch eine gemeinsame E-Mail-Adresse, RoMa4952@web.de, und sind stolz darauf, dass die Anfangssilben ihrer Namen die Stadt ergeben, in der sie seit einigen Jahren leben.

»Der ständige Wind«, brummte Theresa ins Telefon. »Man kann mit den Kindern kaum raus. Das Häuschen ist ja ganz nett, aber eigentlich zu klein. Und die Landschaft, na ja, schon beeindruckend, aber auch ziemlich gewöhnungsbedürftig.«

Wenn ihre Eltern am Telefon sind, hat Theresas zwanghafter Optimismus Pause. Sie hört auf, aus allem das Beste »machen« zu wollen. Stattdessen beklagt sie sich über jede Kleinigkeit.

Wenn Henning mit seiner Mutter telefoniert, erzählt er immer nur, wie toll alles läuft. Im Job, mit der Familie, mit Theresa, erst recht im Urlaub. Er berichtet, dass alles perfekt »funktioniert«. Nie wieder im Leben wird er die Mutter mit seiner Existenz belasten, nicht einmal am Telefon.

Rolf und Marlies fragten, ob Theresa schön gefeiert habe, und berichteten von den Partys auf den Straßen Roms, vor allem auf der Piazza Trilussa, in deren Nähe sie wohnen. Säuerlich antwortete Theresa, dass man mit zwei kleinen Kindern im Schlepptau schlecht feiern könne. Henning öffnete die Augen und fing ihren gequälten Blick auf. Er war dankbar für Rolf und Marlies' Anruf. Hier zu liegen, während Theresa telefonierte, war so herrlich normal. Außerdem waren sie sich immer so schön einig, wenn es darum ging, von Rolf und Marlies genervt zu sein.

Wie immer begannen Theresas Eltern, sie im Duett zu bedauern und Vorschläge zur Verbesserung der Lage zu machen. Wenn der Wind zu stark sei, könne man doch in ein schönes Museum gehen. Vielleicht ließe sich eine Kinderfrau engagieren, damit sie mal feiern könnten. Und ein benachbartes Ferienhaus dazumieten, damit es nicht so eng sei. Je absurder die Vorschläge wurden, desto wütender wurde Theresa. Nach zehn Minuten sagte sie »Tschüs dann« und legte auf.

Sie blieben noch eine Weile im Bett und lästerten über die Eltern. Über ihre Egozentrik, ihre Weltfremdheit, ihr fehlendes Taktgefühl. Es fühlte sich gut an, gemeinsam auf Rolf und Marlies zu schimpfen. Ein ganz normaler Morgen, als wäre in der Nacht nichts Besonderes geschehen. Irgendwann kam Jonas ins Schlafzimmer, und Bibbi begann in ihrem Gitterbett zu schreien. Als Henning aufstehen wollte, gaben seine Knie nach. Er musste noch eine Minute auf der Bettkante sitzen bleiben.

»Was hast du?«, fragte Theresa.

»Nur etwas schwindelig«, antwortete er.

Das Fahrrad hat keinen Rennlenker. Dabei bräuchte er dringend Kraft aus Rücken und Armen. Um wenigstens dem Wind ein Stück Angriffsfläche zu entziehen, legt er sich mit dem Oberkörper auf die Lenkstange, die Ellenbogen auf die Griffe gestützt, die Hände um das Gelenk des Mittelholms geschlossen. Das ist unbequem, zeigt aber Effekt. Neue Muskelgruppen nehmen die Arbeit auf, der Winddruck lässt ein wenig nach. Hennings Gesicht ist jetzt direkt dem Asphalt zugekehrt. Er sieht die poröse Oberfläche des Straßenbelags. Kleine Steinchen, die vom Wind hangabwärts getrieben werden. Staubwirbel. Eine Ameise auf dem Weg zur anderen Seite. Einmal huscht eine Eidechse direkt vor seinem Vorderrad beiseite. Ihr Rücken schimmert grünlich, sie sieht aus wie die Miniaturausgabe eines Galapagos-Untiers. Einen halben Meter weiter bleibt sie sitzen, als wäre sie sicher, dass einer wie Henning ihr nichts tut.

Um die Richtung nicht zu verlieren, orientiert sich Henning am Fahrbahnrand. Er ist froh, in seiner gekrümmten Haltung den Berg nicht mehr zu sehen. Solange er ihn nicht sieht, zählt nur der Augenblick. Die Tatsache, dass er, egal, wie langsam, immer noch vorwärtskommt. Er findet einen neuen Rhythmus, ein, aus-aus, ein, aus-aus. Der vierte Gang funktioniert, das Tempo bleibt stabil. Auch die Gedanken geraten in Fluss. Rolf und Marlies. Ein guter Gegenstand. Man kann eine Menge über sie denken, ohne auf dünnes Eis zu geraten.

Ein oder zwei Mal im Jahr kommen die beiden nach Göttingen, um die Enkel zu »babysitten«, wie sie das nennen. Sie lassen sich vom Flughafen in Hannover abholen und stehen anschließend in der Küche von Hennings und Theresas Wohnung herum, zu aufgeregt, um sich zu setzen. Sie reden über die Geschenke, die sie mitgebracht haben, ohne vorher nach den Wünschen der Kinder zu fragen. Irgendein Blechauto und ein gefilztes Tier aus einem bezaubernden römischen Handarbeitsladen. Vor lauter Selbstverliebtheit merken sie nicht, dass die Sachen den Kindern nicht gefallen. Erst wenn Kaffee und Kuchen auf dem Tisch stehen, sind sie bereit, sich zu setzen. Während sie essen, reden sie ununterbrochen, meistens miteinander, als hätten sie sich eine Ewigkeit nicht gesehen. Rolf erklärt Marlies, warum ihre römische Wohnung ein echter Glücksfall ist. Marlies fragt Rolf, ob er auch findet, dass römische Handwerker schlechter sind als deutsche. Sie frotzeln sich, weisen sich gegenseitig zurecht, benutzen Theresa und Henning als Publikum für ein Gespräch, das ihnen äußerst interessant und witzig erscheint, und ignorieren dabei Jonas und Bibbi so hartnäckig, bis diese zu quengeln beginnen. Dann werfen Rolf und Marlies einander Blicke zu, Wir-sagen-jetzt-besser-nichts-Blicke, eine hochgezogene Augenbraue, ein leises Kopfschütteln, ein über den Teller gebeugtes Schnaufen. In Erziehungsfragen soll man sich ja nicht einmischen. Auch wenn Theresa und Henning wirklich alles falsch machen.

Irgendwann verlässt Henning mit den Kindern den Raum, spielt im Wohnzimmer Lego, damit sich Theresa in der Küche mit ihren Eltern unterhalten kann. In den folgenden Tagen organisieren sie für Rolf und Marlies ein Enkel-Programm. Spielplatz, Stadtpark, Zoo. Sie packen Proviant ein, beratschlagen, wie man es einrichtet, damit Bibbi trotzdem ihren Mittagsschlaf halten kann. Beruhigen den frustrierten Jonas, der erfolglos die Aufmerksamkeit seiner Großeltern sucht. Wenn Rolf sich den Kindern doch einmal zuwendet, zum Beispiel am Rand eines Tiergeheges neben Jonas in die Hocke geht, mit langem Arm auf etwas zeigt und ein paar kluge Erklärungen zum persischen Damwild vom Stapel lässt, reißt Marlies das Handy aus der Tasche und fotografiert das praktizierte Großvaterglück.

Henning weiß, dass sie die Bilder ausdrucken und rahmen und zu Hause in Rom auf die Kommode stellen. Er weiß, dass sie die Fotos betrachten und sich dabei über die hervorragende Beziehung freuen, die sie zu ihren Enkeln haben. Allein die Vorstellung macht ihn aggressiv.

Wenn sie nach ein paar Tagen wieder zum Flughafen gebracht werden, reden sie im Auto davon, was für ein schönes Familienwochenende das war. Wie froh sie sind, Theresa und Henning auf diese Weise unterstützen zu können. Ein paar Erziehungstipps zum Abschluss können sie sich dann doch nicht verkneifen. Die Kinder bekämen viel zu viel Aufmerksamkeit. Man dürfe das alles nicht so schwer nehmen. Regelmäßige Mahlzeiten, klare Grenzen. Groß würden sie dann schon von alleine.

Was Henning am meisten nervt, ist der Verdacht, dass Rolf und Marlies recht haben könnten. Sie haben Theresa schon als Kleinkind zu Verwandten gegeben, um allein in den Urlaub zu fahren. Ganz sicher sind sie nicht auf Knien durchs Haus gekrochen, um einen Schnuller oder das aktuelle Lieblingsstofftier zu suchen. Vor allem wären sie niemals auf die Idee gekommen, mit ihrer Tochter zu spielen. Kinder spielen mit Kindern, Erwachsene reden mit Erwachsenen. Trotzdem ist Theresa ein ganz normaler Mensch geworden. Sie ist gesund, hat sich und ihr Leben im Griff, leidet nicht unter seelischen Schäden. Wenn das Rolfs und Marlies' Erfolg ist, müsste Henning sich eigentlich fragen, warum er und Theresa sich bei dem Versuch aufreiben, ihre Kinder mit Liebe und Respekt zu behandeln. Dabei kennt er die Antwort, wenigstens in Bezug auf sich selbst: Es geht nicht anders. Sein Verhalten gegenüber Jonas und Bibbi folgt keinem Konzept. Er macht es so, wie es ihm möglich ist.

Immerhin ist es Rolf und Marlies gelungen, für Theresa eine Art Familie darzustellen, jedenfalls im Vergleich mit Hennings eigenem Zuhause. Wobei das keine große Kunst ist. Seinen Vater Werner hat Henning praktisch nicht kennengelernt. Der rief manchmal an, wenn er betrunken war. Dann wollte er die Kinder sprechen und lallte rührseliges Zeug ins Telefon. Dass er sie liebe und eines Tages zu sich holen werde. Henning und Luna machte das Angst. Bis heute schickt Werner alle paar Jahre eine Geburtstagskarte, wenn auch notorisch zum falschen Termin.

Die Mutter hat alles gegeben, um Henning und Luna trotzdem ein erträgliches Zuhause zu bieten. Der größte Raum der Wohnung, eigentlich als Wohnzimmer gedacht, gehörte den Kindern, von einem großen Vorhang geteilt, damit jeder von ihnen seinen eigenen Bereich besaß. Wann immer ein wenig Geld übrig blieb, kaufte die Mutter ihnen Bücher, Spielzeug oder Klamotten. In all den Jahren, in denen sie sich um Henning und Luna kümmerte, gab es keine Männerbesuche. Solange ihr bei mir lebt, sagte sie, gehöre ich euch. Dabei war sie eine schöne Frau, mit langen blonden Haaren, schlank, stets in bunten Blusen und Jeans.

Aber sie strahlte nicht. Wegen ihrer Rückenschmerzen ging sie oft gebeugt. Stumpf hing das Haar herunter. Manchmal schaffte sie es nicht einmal, sich zu schminken. Ständig war sie übermüdet, überarbeitet, gestresst und genervt. Bei allem, was sie tat, schimpfte sie vor sich hin. Sie stellte das Essen auf den Tisch und erzählte, wie lange sie dafür in der Küche gestanden hatte. Sie machte die Wäsche und klagte darüber, ihren Feierabend mit Waschen und Bügeln verbringen zu müssen. Henning und Luna lebten mit gesenkten Köpfen.

Die Mutter räumte die Wohnung auf, die sie verwüstet hatten, kümmerte sich um Schulprobleme, die sie verursachten, fuhr mit ihnen zum Arzt, weil sie krank waren. Ihretwegen verzichtete sie auf Freundinnen, einen Mann, Partys, Reisen, Kunst, Lesen, Kino, Theater, anregende Gespräche und einen besseren Job. Jeden Tag erklärte sie ihnen, dass sie ihretwegen zu einem Leben verurteilt sei, welches ihr weder entspreche noch gefalle. Deshalb sollten sie wenigstens darauf achten, ihr keine zusätzliche Arbeit zu machen. Henning als der Größere solle sie im Haushalt entlasten, Luna brav und artig sein. Sie lebe am Rand ihrer Kraft, könne unmöglich alles allein schaffen; schließlich sei sie ein Mensch und keine Maschine.

Am Ende solcher Tiraden pflegte sie Henning und Luna in die Arme zu nehmen und zu rufen: »Aber ihr seid natürlich das Wertvollste für mich! Das wisst ihr doch? Ihr seid mein Hauptgewinn!«

Das war das Schlimmste. Im »Hauptgewinn« spürte Henning ihr schlechtes Gewissen. Sie sagte »Hauptgewinn«, weil sie sich dafür schämte, die Kinder heimlich zum Teufel zu wünschen. Von klein auf war Henning daran gewöhnt, alles, was er tat, sagte oder auch nur dachte, als Angriff auf das Glück seiner Mutter zu betrachten. Oft genug wünschte er, nicht am Leben zu sein. Mit fünfzehn dachte er darüber nach, sich umzubringen oder wenigstens auszuziehen, um die Mutter von seiner Gegenwart zu befreien. Aber da war Luna. Sie war zu jung, sie brauchte ihn, es war absolut undenkbar, sie zu verlassen. Er wartete auf ihren 16. Geburtstag, bevor er ging. Länger hielt er es nicht aus. Er war 19 und hatte das Abitur geschafft. Sie brach die Schule ab, als er auszog. Durch nichts in der Welt ließ sie sich dazu bewegen, allein bei der Mutter zu bleiben und die Oberstufe abzuschließen. Sie folgte ihm erst nach Leipzig, wo er studierte, dann nach Göttingen, wo er seinen ersten Job bekam, und als er Theresa kennenlernte, begann Luna zu vagabundieren.

Als Henning und Luna das Haus verließen, war die Mutter Mitte 40. Sie kündigte Job und Wohnung und zog nach Berlin. Dort arbeitet sie heute in einer kleinen Galerie, malt, sitzt in Cafés und erzählt am Telefon von Konzerten und Vernissagen. Henning gönnt ihr die Freiheit, mehr als jedem anderen Menschen auf der Welt. Er hofft, dass sie einen Freund hat. Wenn er danach fragt, lacht sie und sagt, das gehe ihn nichts an.

Für Bibbi und Jonas interessiert sie sich nicht besonders. Sie sagt, sie habe in ihrem Leben genug Kinderhintern abgewischt. Gemessen daran sind Rolf und Marlies richtig gute Großeltern. Das versichern sich Henning und Theresa gegenseitig, wenn die beiden wieder abgereist sind. Trotzdem fühlen sie sich danach tagelang reif fürs Sanatorium.

Henning hat den Beginn des Steilaufstiegs erreicht. Manchmal wirken Abhänge von Weitem steiler als von Nahem. Eine Felswand kann scheinbar senkrecht aufragen und sich dann optisch senken, wenn man näher kommt. Offensichtlich ist das beim Bergmassiv von Femés nicht so. Die Straße hebt sich vor ihm wie eine Rampe, schon die ersten Tritte machen klar, dass er sofort runterschalten muss. Er nimmt sich vor, mindestens bis zur ersten Serpentine im dritten Gang zu bleiben, dann den zweiten zu nehmen und sich den kleinsten für das letzte Stück aufzusparen. Nach wenigen Metern merkt er, dass er diesen Vorsatz nicht einhalten kann. Er muss sofort in den ersten Gang. Jetzt beweist die Steigung, dass sie doch ein größeres Problem sein kann als der Wind. Das Fahrrad verwandelt sich in eine Treppe mit zu hohen Stufen, das Tempo liegt unter Schrittgeschwindigkeit. Tatsächlich wäre Henning schneller, wenn er absteigen und schieben würde. Aber das kommt nicht in Frage. Er wird sich Pausen gönnen, so wenige wie möglich, so viele wie nötig, und wird diesen Berg auf dem Fahrrad bezwingen. Versuchsweise hebt er den Hintern aus dem Sattel, aber die Form des Rads lässt ein Fahren im Stehen nicht zu. Den Schweiß, der ihm jetzt ausbricht, trocknet der Wind nicht mehr. Binnen Sekunden spürt Henning seinen Rücken feucht werden, das T-Shirt ist aus Baumwolle, nicht aus irgendeinem Funktionsmaterial. In den Muskeln der Oberschenkel beginnt es zu pulsieren. Die Kehle fühlt sich an wie Schmirgelpapier, und hinter den Schläfen entsteht ein Ziehen, das wahrscheinlich mit Dehydrierung zu tun hat. Henning beginnt, stumm im Takt der Tritte zu skandieren:

Scheiß-Wind, Scheiß-Wind, Scheiß-Wind.

Mit dem Skandieren kommt die Wut. Auf den Wind – warum muss er gerade heute so heftig wehen und dazu aus allen möglichen Richtungen? Auf den Berg – wie zum Teufel kann etwas so steil sein? Auf die Autos, die zu dicht an ihm vorbeifahren. Auf das Fahrrad, das keine noch kleineren Gänge hat.

Scheiß-Wind.

Die Wut gibt ihm Kraft. Das Treten scheint ein wenig leichter zu gehen. Es ist eine allgemeine Wut. Nicht nur auf Straße, Wind und Berg. Es ist eine Wut auf alles, eine Wut wie ein Energiefeld, wie Hitze oder Licht. Henning brennt innerlich.

Scheiß-Job, Scheiß-ES, Scheiß-Welt.

Henning umklammert die Lenkstange, die Knöchel treten weiß hervor. Bei jedem Tritt zieht er mit ganzer Kraft, als sollten die Muskeln reißen.

Scheiß-Theresa, Scheiß-Theresa, Scheiß-Theresa.

Das passt schlecht in den Rhythmus, fühlt sich aber trotzdem gut an.

Scheiß-Jonas, Scheiß-Kinder, Scheiß-Familie.

Henning kämpft. Er setzt Kraftreserven frei. Da steigt etwas in ihm auf. Etwas, das er gebrauchen kann. Dann etwas, das zu viel ist. Es will herauf, hinaus. Henning will es zurückhalten, unterdrücken, aber da ist es schon passiert. Sein Kopf skandiert:

Scheiß-Bibbi, Scheiß-Bibbi, Scheiß-Bibbi.

Er kann es nicht aufhalten. Es geht immer weiter.

Scheiß-Bibbi, Scheiß-Bibbi.

Die Wut hat ihren Glutpunkt gefunden, ihr Zentrum, das Innere des Vulkans, aus dem Lava quillt. Henning weint. Er weint hemmungslos, vor lauter Tränen sieht er nichts mehr.

Scheiß-Bibbi.

Er denkt es nicht mehr, er schreit. Er hat keine Ahnung, was er damit meint. Es gibt niemanden auf der Welt, den er so sehr liebt. Aber die Kraft der Wut ist gewaltig.

Scheiß-Bibbi!

Als er sich umschaut, befindet er sich auf halber Höhe. Es ist wie ein Schock. Er kann kaum glauben, wie hoch er bereits gekommen ist. Er hält an, stemmt sich stehend gegen den Wind. Die Tränen sind getrocknet, die Wut schweigt. Er dehnt den Rücken, schaut ins Tal. Die Straße, die er gekommen ist, sieht klein aus, wie auf der Platte einer Modelleisenbahn, ein schmales Band, in diesem Augenblick völlig leer, als wäre die Quelle, aus der unablässig Autos in die Welt fließen, mit einem Mal versiegt.

Henning lächelt. Trotz seiner Erschöpfung fühlt er sich stark. Er blickt nach oben, der Pass wirkt ganz nah. Auf den Terrassen ist keine Menschenseele zu sehen, die Restaurants sind wohl noch geschlossen. Er zieht sein Handy aus der aufgesetzten Tasche der Sporthose. Zehn Uhr am Neujahrsmorgen. Unglaublich, dass er erst seit zwei Stunden unterwegs ist. Jetzt ist er sicher, dass er es schaffen wird. Trotzdem ermahnt er sich zur Demut. Er hat erst die erste Hälfte des Steilaufstiegs hinter sich, und die zweite wird länger und härter, ganz egal, was die Mathematiker sagen. Genau umgekehrt wie bei Urlauben, deren zweite Hälfte immer doppelt so schnell vergeht.

Als er das Fahrrad in die Spur bringt, mit der Fußspitze das rechte Pedal auf richtiger Höhe justiert und sich mit vollem Gewicht darauf stellt, um anzutreten, gerät er ins Kippen. Im letzten Moment kann er das Fahrrad davon abhalten, auf den Asphalt zu stürzen. Wind und Neigungsgrad der Straße erlauben ihm nicht, genug Fahrt aufzunehmen, um ins Gleichgewicht zu kommen. Henning richtet das Rad quer zur Straße aus, stellt den rechten Fuß erneut aufs Pedal, stößt sich mit dem linken ab und fährt los. Im Winkel zur Steigung ist das Anfahren kein Problem. Henning erreicht die andere Straßenseite, kurvt zurück, hält sich diagonal zum Hang. Beschleunigt minimal auf den letzten Metern, schwingt sich in die nächste Schleife. Auf diese Weise zerteilt er die Steigung in kleine Stücke, fährt Serpentinen auf der Serpentine, muss hart kämpfen in jeder Wendung, kann sich auf den Diagonalen kurz entspannen. Der Bodengewinn wird noch geringer, aber Henning kommt voran. Langsam und stetig wie eine Schnecke. Er fährt.

Sein Tränenausbruch kommt ihm jetzt merkwürdig vor, die plötzliche Wut auf Bibbi sinnlos und ungerecht. Er schämt sich. Vermutlich liegt es am Wassermangel, der ihn schwindelig macht und ihm die Sinne verwirrt. Oder an der Übermüdung.

Vor dem ersten Einschlafen gestern hatte er eine Vision, wie der Beginn eines Traums, aber noch bei vollem Bewusstsein. Er sah den Franzosen, wie er sich auf Theresa warf. Alles wirkte glasklar. Theresa lag auf einer Couch mit buntem, orientalisch gemustertem Überwurf. Das Zimmer war eher ein Saal, von quadratischem Zuschnitt und hoch wie ein Turm. In der Mitte der Decke eine gläserne Kuppel, durch die in grellen Kaskaden das Sonnenlicht fiel. An langen Ketten hingen Töpfe mit wuchernden Pflanzen herab. Henning sah die kahlen Wände, den Fliesenboden, er spürte förmlich die Kühle des Raums. Gegenüber der Couch führte eine hölzerne Flügeltür ins Freie. Eine Türhälfte stand offen, so dass Henning hinaussehen konnte. Kein

Zweifel, das Haus befand sich auf Lanzarote. Er sah die Brüstung einer großen Terrasse, dahinter Palmen, Kakteen, Pfefferbäume und das vulkanische Panorama. Es musste sich um eins der Anwesen handeln, die er so ausgiebig bewundert hatte, erst im Internet, dann in echt. Weiße Mauern, große Gärten.

Über Theresa lag der Franzose, mit heruntergelassener Hose und nacktem Oberkörper. Auch an ihm erkannte Henning jede Einzelheit. Er sah dunkles, windzerzaustes Haar, die dreieckige Form des männlichen Rückens, den Schwung der Schulterblätter, die angespannten Muskeln am Gesäß. Schwarze Behaarung wuchs in breiten Spuren links und rechts der Wirbelsäule, wie eine Straße mit getrennten Fahrbahnen.

Natürlich hatte Henning den Franzosen nie im Leben nackt gesehen. Auch das Haus kannte er nicht. Trotzdem war das Bild klar und detailliert. Allerdings unbewegt, wie ein Standbild aus einem Film. Eigentlich hätte der Anblick verstörend wirken müssen, aber Henning fühlte nichts. Er versuchte, an etwas anderes zu denken, das Bild verblasste, er schlief ein.

Kurz darauf träumte er, Bibbi sei ins Wasser gefallen. Er hatte nicht gesehen, wie sie fiel, sie war bereits untergegangen, ihr heller Körper im dunklen Wasser, und sie sank. Henning musste hinterher springen und sie retten, sofort. Aber er fürchtete, er könnte dabei Schmutz aufwirbeln und das Wasser trüben, so dass er nichts mehr sähe. Er würde dann vergeblich nach Bibbi greifen, sich winden und drehen, mit verzweifelt umhertastenden Händen, halb blind unter Wasser, ohne sie zu finden. Dieser Gedanke war so schrecklich, dass er gar nichts tat. Er stand da und überlegte. Sollte er versuchen, sich vorsichtig ins Wasser gleiten zu lassen? Aber wie sollte das gehen? Er wusste, dass er sofort handeln musste, Bibbis Konturen verwischten bereits, sie sank tiefer, gleich geriete sie außer Sicht, er musste es tun, aber die Angst lähmte ihn, er ahnte schon, wie es sich anfühlen würde, die Arme vergeblich nach ihr auszustrecken, sie nicht zu finden, trotzdem war es seine einzige Chance, er musste sie heraufholen, jetzt. Statt zu springen, wachte er auf.

Er lag auf dem Rücken. ES schüttelte ihn so heftig, dass er instinktiv nach Theresa griff. Er vergrub die Finger in ihrem Nachthemd, zog daran. Sie erwachte mit einem Schrei. Das hatte er nicht gewollt.

Normalerweise weckt er sie nicht, niemals, egal, wie schlecht es ihm geht. Wegen der Kinder ist Schlaf ein zu kostbares Gut. Außerdem kann ihm Theresa ohnehin nicht helfen. Nachdem er ihr damals von ES erzählt hat, gab es eine Phase, in der sie versuchte, ihm beizustehen. Sie hat ihm während der Anfälle gut zugeredet, seine Hand genommen, gefragt, ob er einen Tee möchte, eine Wärmflasche oder Musik. Sie haben es mit Vorlesen probiert, mit Fernsehen und mit Sex. Nichts hat geholfen. Im Gegenteil, die Anfälle wurden schlimmer, als Henning begriff, dass nicht einmal Theresa dagegen ankam. Dass ES einfach stärker war als sie.

Seitdem verbirgt Henning die Attacken. Nachts tigert er durchs Haus und bemüht sich, niemanden zu wecken. Seit es auch tagsüber passiert, hat er gelernt, sich äußerlich normal zu verhalten. Sein Herz rast und stolpert, er schwitzt, alle Muskeln verspannen sich. Aber er tut so, als wäre nichts, redet, isst, spielt mit den Kindern, telefoniert. Manchmal geht er ins Bad und guckt in den Spiegel. Unfassbar, dass man ES nicht sieht. Während das Herz einen irrsinnigen Tanz mit tödlichen Pausen tanzt, sieht sein Gesicht aus wie immer. Vielleicht sind die Augen ein bisschen rot. Natürlich merkt Theresa, was mit ihm los ist. Aber sie sagt nichts dazu. ES ist zu Hennings Privatsache geworden.

Dass er sie vergangene Nacht geweckt hat, war ein Unfall, aus Panik, ein Reflex. Und dieses Mal hat sie nicht versucht, ihm zu helfen. Stattdessen flippte sie aus. Während sie ihn anschrie, rückte sie von ihm ab, als wäre er ein Fremder, der sich in ihr Bett geschlichen hat.

»Ich hab die Schnauze voll von diesem Theater. Glaubst du, es dreht sich alles nur um dich?«

Mit aller Macht presste Henning die Kiefer aufeinander, um das Zittern zu unterdrücken. Ihm schien, es passiere jetzt etwas, auf das er schon lange gewartet hatte. Etwas Schlimmes. Der totale Verlust jeglicher Würde.

»Deine Neurosen belasten die ganze Familie. Reiß dich endlich zusammen!«

Hennings Inneres verwandelte sich in einen kalten Klumpen. Für Sekunden spürte er seinen Herzschlag nicht mehr. Er stand kurz davor, das Bewusstsein zu verlieren. Er fragte sich, ob Theresa und er sich jemals hiervon erholen würden.

»Sei ein Mann! Einer, den ich lieben kann!«

Als er glaubte, es könne nicht mehr schlimmer kommen, drehte sich Theresa um und schlief wieder ein. Sie begann sogar leise zu schnarchen, wie zum Hohn. Henning floh in den Garten, wo er panische Kreise lief.

Am Morgen, nach dem Anruf der Eltern, blieb Theresa noch im Bett, während er aufstand und das Frühstück vorbereitete. Weil er keinerlei Hunger verspürte, holte er nur drei Teller aus dem Schrank. Der Tisch sah aus, als gäbe es Henning nicht mehr. Ein Frühstück für eine Mutter und ihre zwei Kinder.

Er steigt vom Rad. Er braucht eine weitere Pause, der Muskelstoffwechsel zwingt ihn dazu. Keinen weiteren Tritt kann er seinem Körper abringen. Im linken Oberschenkel hat er einen Krampf. Mit beiden Händen massiert er das Bein, versucht, die Muskulatur zu lockern. Es wäre besser aufzuhören. Das letzte Stück zu schieben. Aber der Pass liegt nicht mehr weit entfernt, vielleicht noch hundert Höhenmeter, auf eine weitere Serpentine verteilt. Die letzte Kurve ist spitzwinklig. Ihr zweiter Schenkel weist nach oben wie bei einer verbogenen Haarnadel. Henning hat gesehen, wie sich die Schnauzen der Autos an dieser Stelle heben. Wie es die Fahrer kaum noch schaffen, in den ersten Gang zu schalten. Er hat das Aufheulen der Motoren gehört.

Das Tal ist von hier aus nur noch Abstraktion. Playa Blanca ein weißer, an den Rändern zerschlissener Fußabtreter vor der glitzernden Fläche des Meers. Die luxuriösen Anwesen helle Punkte in der dunklen Landschaft. Auf einen kleinen Falken im Flug guckt Henning von oben herab. Nur die Vulkanberge sehen aus wie immer, ihr schweigendes Panorama bleibt sich selbst gleich.

Um sich gegen den Wind zu stabilisieren, hat Henning das Vorderrad schräg gegen einen der großen Steine gestemmt, die am Straßenrand notdürftig den Abgrund sichern. Es pfeift und heult im Gestänge des

Fahrrads, selbst in den Luftschlitzen des Helms. Hier oben wütet der Wind noch ungehemmter, wie ein unsichtbarer Wasserfall scheint er über den Grat zu stürzen. Das Tal wirkt seltsam unbelebt. Ob eine Unwetterwarnung ausgegeben wurde? Henning widersteht dem Impuls, aufs Handy zu gucken, Internet zu suchen, die Wetterlage zu checken. Ein ganz normaler Tag am Atlantik. Erster Erster 2018. Wenn es etwas gibt, das auf einer Insel als normal gelten kann, dann wohl heftiger Wind.

Jetzt bewegt sich etwas auf der leeren Straße. Aus einer Landschaftsfalte unter Henning kriecht ein Auto hervor, langsam, dann doch schneller, geht in die nächste Kurve, verschwindet erneut aus dem Blickfeld. Ein alter Geländewagen, Toyota oder Range Rover, von denen es auf der Insel einige gibt. Henning beschließt zu warten, bis der Wagen vorbei ist; für seinen Zickzackkurs benötigt er die gesamte Fahrbahn. Die Zunge klebt ihm am Gaumen, das Ziehen hinter den Schläfen hat sich zu einem dumpfen Pochen gesteigert. Mit gekrümmten Fingern kratzt er sich abwechselnd an beiden Unterarmen, die Haut ist trocken und juckt wie verrückt. Er braucht dringend Wasser. Vor seinen Augen flimmert es, die grelle Sonne, der Wind. Beim Gedanken an den letzten Aufstieg spürt er keinen Widerstand. Sein Körper macht sich bereit, ihm weiter zu gehorchen. Setzt letzte Energiereserven frei, transportiert Sauerstoff bis in den hintersten Winkel. Bereit, über die eigenen Grenzen hinauszugehen.

Henning will die Familie nicht mit seinen Neurosen belasten. Er will ein Mann sein, den es zu lieben lohnt.

Er will mehr lachen, Späße machen, den kleinen Katastrophen des Alltags eine witzige Seite abgewinnen. Er will Theresa öfter in den Arm nehmen, weniger genervt von den Kindern sein, öfter mal losziehen und Freunde treffen. Das kann doch nicht so schwer sein. Jedenfalls nicht schwerer als zwanzig Prozent Steigung bei Gegenwind auf einem geliehenen Rad.

Der Geländewagen kommt heran. Es ist ein Range Rover, in rostigem Dunkelblau. Am Steuer sitzt eine Frau. Ihr Gesicht kann Henning nicht sehen; als sie an ihm vorbeifährt, hält sie den Kopf abgewandt, schaut zur anderen Seite, den Berg hinauf, als wollte sie nicht erkannt werden. Ihr blondes Haar ist zu einem französischen Zopf geflochten, eine Frisur, die in den letzten Jahren aus der Mode gekommen ist. Früher hat Hennings Mutter die Haare häufig so getragen. Der Range Rover geht in die letzte Kurve, der Motor heult auf, der Wagen verschwindet zwischen den Restaurants.

In den Antritt legt Henning seine ganze Kraft. Es geht erstaunlich leicht, er kommt sofort in den Sattel, gewinnt quer zum Hang ausreichend Geschwindigkeit, schafft die erste Schleife ohne größere Probleme. Sein Körper hat in der kurzen Pause erstaunliche Kraft mobilisiert, die er ihm nun bereitwillig zur Verfügung stellt. Henning senkt den Oberkörper auf den Lenker. Wenn er sich aufrichtet, wirft ihn der Wind vom Rad. Ab und zu hebt er den Blick, um die verbleibende Entfernung abzuschätzen. Sie schrumpft zusammen, Tritt für Tritt. Henning beschließt, nicht mehr zu pausieren, den letzten Abschnitt in einem großen Endkampf zu bewältigen. Aber gleich darauf geht ihm die Kraft aus, überraschend schnell, kein langsames Ermüden, sondern ein abrupter Abbruch jeglicher Versorgung.

Er hält an und wartet darauf, dass sich die Muskeln regenerieren. Dann fährt er wieder los.

Der Fels, in den die Straße gehauen wurde, ist schartig und porös, an manchen Stellen schlägt er Wellen wie eine Flüssigkeit. Ein Planet, der sich selbst hervorbringt, fließend versteinert, im Werden erstarrt.

Wieder muss Henning anhalten. Dann geht er in die letzte Kurve. Auch das war keine Täuschung: Die Straße steigt kurz vor dem Grat noch einmal an. Jetzt hebt Henning beim Fahren den Kopf und hält sein Ziel fest im Blick. Je höher er kommt, desto mehr sieht er von Femés. Er sieht die Panoramafenster der Restaurants, hinter denen umgedrehte Stühle auf den Tischen stehen. Er sieht die Neujahrsmorgenschläfrigkeit der Häuser. Er sieht keine Menschenseele. Und dann gerät doch jemand ins Blickfeld, ein Mann mit Hut, Spanier, gekleidet im typischen Schwarz der Inselbevölkerung. Er steht in einem Garten am Rand des Dorfs, einen Schlauch in der Hand, mit dem er die Pflanzen wässert. Ein Gärtner bei der Arbeit.

Henning guckt weg, konzentriert sich auf sein Ziel, die Schneise auf der Kuppe, wo die Straße zwischen den Restaurants verschwindet. Aber etwas stimmt nicht. Es liegt am Gärtner, da ist etwas Irritierendes an dem Mann. Henning schaut hin und wieder weg und wieder hin, er kommt nicht darauf, was ihn stört. Der Mann steht mit dem Rücken zu ihm, den Hut tief in den Nacken geschoben. Henning spürt ein Erschauern, als wäre das gar kein Mensch. Bei der Vorstellung, er könnte sich umdrehen, befällt ihn Angst. Henning zwingt seine Aufmerksamkeit zurück auf die Straße, es sind nur noch wenige Meter bis zum Scheitelpunkt, er schafft es, er hat gewusst, dass er es schaffen wird. Jetzt nur keinen Fehler machen, die Schleifen sorgfältig anlegen, alle Kraft auf die Windungen konzentrieren, weiteratmen, auch wenn es wehtut.

Da wird ihm klar, was nicht stimmt. Der Gärtner steht falsch herum. Er steht mit dem Rücken zu Henning, also mit dem Gesicht zum Wind. Das Wasser aus dem Schlauch müsste ihm entgegenschlagen, ihn völlig durchnässen. So, wie er steht, kann man nicht wässern. Es ist völlig unmöglich, was der Gärtner macht.

Henning erreicht den höchsten Punkt.

Auf dem kleinen Kirchplatz lehnt er das Rad an die Mauer und fällt auf eine gemauerte Bank. Der Stein kühlt Oberschenkel und Rücken. Für einen Augenblick verschwinden die Schmerzen. Hennings Körper sinkt in sich zusammen, die Gedanken schweigen. Er spürt die Wärme der Sonne und das Streicheln des Windes, der hier in der Dorfmitte nur mäßig bläst. Er riecht den würzigen Duft eines Pfefferbaums, der seine Zweige über den Platz hängen lässt. Genau wie sämtliche Häuser und Mauern ist die kleine Kirche blendend weiß, reflektiert das Sonnenlicht, so dass man kaum hinsehen kann. Am schlichten Portal hängt eine Tafel, die an irgendeinen Don Pedro mit sehr langem Nachnamen erinnert. Darüber das Bild einer Maria, der blutige Tränen über das Gesicht laufen. Eine Mutter, die ihren Sohn verloren hat. Sie scheint auf Henning herunterzusehen.

An der Ecke des Platzes befindet sich ein kleiner Lebensmittelladen, allerdings geschlossen, was für Henning keine Rolle spielt, da er nicht nur den Proviant, sondern auch das Geld vergessen hat. Er beschließt, sich etwas auszuruhen und dann den Rückweg anzutreten. Von hier aus nach Playa Blanca geht es ausschließlich bergab, die Fahrt dürfte nicht länger als eine Stunde dauern. So lange müssten sich Hunger und Durst noch in Schach halten lassen. Henning stellt sich vor, wie er den Abhang, an dem er sich bis eben gequält hat, in halsbrecherischem Tempo hinunterrast. Auf der ersten Hälfte der Strecke wird er ausschließlich bremsen müssen, später vielleicht ein bisschen treten. Es wird leicht gehen. Er stellt sich vor, wie er zurück ins Scheibenhaus kommt und Theresa von seinen guten Vorsätzen erzählt. Dass er im neuen Jahr mehr lachen und sie öfter umarmen wird. Dass er die Steilauffahrt nach Femés geschafft hat.

Henning hebt das Gesicht in die Sonne und spürt ihre Kraft. Sie lädt ihn auf wie einen Akku. Pure Energie. Es wird nicht lang dauern, dann sind die Batterien wieder voll.

Als er aber aufstehen und aufs Rad steigen will, wird sofort klar, dass das nicht geht. Der Schmerz kehrt zurück, die Muskeln krampfen. Mit beiden Händen hält sich Henning am Lenker fest, setzt mühsam Fuß vor Fuß, als würde er gerade erst das Gehen erlernen. Beim Gedanken ans Radfahren streikt der ganze Organismus. Essen, Trinken. Das ist es, worum er sich kümmern muss. Vielleicht auch um einen Platz zum Hinlegen.

Schiebend überquert Henning die Straße, geht an der Rückseite der Restaurants entlang und ein Stück parallel zum Grat. Rechts und links der Gasse stehen niedrige Häuser mit kleinen Fenstern, schmucklos eingebunkert gegen Sonne und Wind. Sie erinnern daran, dass solche Bergdörfer von Ziegenkäse gelebt haben, bevor der Tourismus auf die Insel kam. Henning hält Ausschau nach einem menschlichen Wesen, das er um Hilfe bitten kann. Er überlegt, was Essen auf Spanisch heißt. Ihm fällt nur »mangiare« ein. Zur Not wird er sich mit

Gesten verständlich machen müssen, die Hand an den Mund führen, sich den Bauch reiben, Hunger, Durst. Am Nachmittag kann er mit dem Auto wiederkommen und alles bezahlen. Aber es ist niemand zu sehen. Selbst der Gärtner samt Gartenschlauch ist spurlos verschwunden, Henning könnte nicht einmal sagen, auf welchem Grundstück er gestanden hat. Er wird an eines der Häuser klopfen müssen, an eine grüngestrichene Tür oder einen geschlossenen Fensterladen. Nur kann er sich nicht entscheiden, an welches. Henning geht weiter, betrachtet die Fassaden, diese hier wirkt abweisend, jene auch, hier steht nicht mal ein Auto vor der Tür, dort bellt ein wütender Hund in einem Zwinger. Es ist nicht so, dass Henning sich nicht zu klopfen traut, aber es sind die falschen Häuser, das spürt er genau.

Verwirrt gelangt er auf den kleinen Kirchplatz zurück, stellt das Rad ab und dreht sich langsam im Kreis. Da ist etwas, Henning weiß nur nicht, was. Etwas, das passieren muss. Er fragt sich gerade, ob er vor Erschöpfung den Verstand verliert, als er es bemerkt. Keine Stimmen, keine Vision, nur eine Richtung, in die er gehen muss. Er packt das Rad am Lenker und schiebt voran. Auf seine schmerzenden Beine kann er jetzt keine Rücksicht nehmen, er muss sich beeilen, bevor er die Richtung verliert. Schnell gelangt er an den Rand des Dorfs, die asphaltierte Gasse endet und geht in eine steinige Piste über. Schon wieder steigt das Gelände an, die Flanke des Atalaya hinauf. Egal, Henning muss weiter. Er steigt über scharfkantige Geröllbrocken, vermeidet große Schlaglöcher, hebt und zerrt das Rad mehr, als dass er es schiebt. Am Wegrand steht ein handbemaltes Schild, ein bunter Pfeil, der nach oben weist: »Artesania/Arts Gallery/Kunst«.

Ich klettere schon wieder auf einen Berg, denkt Henning. Was ist bloß mit mir los. Ein Sisyphos ohne Stein.

Als er einen großen Felsblock erreicht, hinter dem die Piste in eine Kurve geht, hält er an, um eine Pause zu machen. Er wendet sich um und schaut ins Tal. Der Anblick ist ein Schock. Femés liegt tief unter ihm. Schon wieder ist er hoch hinaufgelangt, ohne zu wissen, wie das sein kann. Es fühlt sich an wie ein Filmriss. Als hätte eine unbekannte Macht ihn einfach zweihundert Meter bergaufgeschoben. Das wirklich Erschreckende ist aber, dass er kennt, was er sieht. Die Anordnung der Dächer ist ihm vertraut, der Verlauf der Gassen, der winzige Verkehrskreisel im Zentrum. Der rechteckige Kirchplatz, die kleine Kirche, der plumpe Glockenturm. Er kennt dieses Dorf, genau aus dieser Perspektive. Nämlich von oben. Er trägt einen Abdruck davon im Gehirn. Scheppernd stürzt neben ihm das Fahrrad zu Boden, er hat es zu nachlässig an den Fels gelehnt.

Henning weiß genau, dass er in den vergangenen Tagen nicht hier gewesen ist. Keiner ihrer Ausflüge hat sie nach Femés geführt. Und selbst wenn, wären sie niemals aus dem Dorf heraus und den Berg hinaufgefahren, auf einer Piste, die nicht für glänzende Mietwagen oder Leihfahrräder geschaffen ist, sondern für klapprige Pick-ups mit Gartengeräten auf der Ladefläche, für Ziegenhirten mit gefleckten Herden, vielleicht für den einen oder anderen Eselskarren. Es ist heiß, sengend heiß. Der Wind hat sich vollständig gelegt, als wäre

Henning in eine andere Klimazone geraten, in eine völlig neue Jahreszeit. Eine Stimme rät ihm, aufs Rad zu steigen und nach Hause zu fahren. Zu trinken, zu essen, sich auszuruhen. Sein Vorhaben abzubrechen, worin auch immer es besteht.

Er hebt das Rad auf und schiebt es um die Kurve, weiter bergauf, die Schotterpiste entlang. Da oben steht ein Haus, auf einer kleinen Hochebene, an die Schulter des Bergs geschmiegt. Henning beschleunigt seinen Schritt, stemmt sich wütend gegen den Lenker des Fahrrads, dessen Reifen im Kies ständig zur Seite rutschen. Hohe weiße Mauern, über die Palmwedel ragen. Eine Terrasse, die das Tal überschaut. In der Mitte des Gebäudes ein turmartiger Aufsatz, von einer Glaskuppel überwölbt, unter der sich ein Saal oder eine Art Lichthof befinden muss. Die Schotterpiste endet vor dem Haus. Kein Landwirtschaftsweg, sondern eine Zufahrt, wenn auch in miserablem Zustand. An der Außenmauer erkennt Henning den bunten Schriftzug wieder: »Artesania/Arts Gallery/Kunst«.

Mit einer letzten Kraftanstrengung erreicht er das kleine Plateau. Vor seinen Augen tanzen schwarze Punkte. Er lässt das Rad fallen und lehnt sich gegen die Mauer, bis der Schwindel nachlässt. Das Sichtfeld bleibt verschwommen, Wind und Sonne haben die Augen gereizt, Henning trägt keine Sonnenbrille. Er muss dringend in den Schatten, er muss sich setzen. Immerhin kann er erkennen, dass auf dem Parkplatz vor dem Haus ein einzelnes Auto steht, ein Range Rover in rostigem Dunkelblau. Also ist jemand zu Hause. Hennings Rettung.

Das schmiedeeiserne Tor steht offen, er bugsiert sein Rad hindurch und hält nach einem Ort Ausschau, wo er es abstellen kann. Weil er kein Fahrradschloss besitzt, sucht er einen geschützten Platz, auch wenn er nicht weiß, wer hier oben ein Rad stehlen soll. Am besten schiebt er es hinter das Haus. Henning verlässt den Grava-Weg, der auf die doppelflügelige Holztür zuführt, und geht zwischen Palmen, Mangobäumen und Bougainvilleen bis zur anderen Grundstücksseite und dort um die Hausecke herum. Der Durchlass zwischen Haus und Mauer ist nicht sehr breit und wirkt ungepflegt. In den Ästen einiger verkrüppelter Mimosen hängt Flugmüll, der schwarze Kies am Boden ist staubig. An Hennings Steißbein vibriert das Handy. Während er mit einer Hand das Fahrrad durch den tiefen Kies schiebt, nestelt er mit der anderen das Telefon aus der Tasche. Eine SMS. Die Sonne schwärzt das Display, Henning muss in den Schatten, er kann überhaupt nichts erkennen.

Im Durchlass ist es spürbar kühler. Henning will gerade sein Rad an die Hausmauer lehnen, da fährt er entsetzt zurück. An der hoch aufragenden, fensterlosen Wand sitzen Unmengen von Spinnen. Kugelförmige Körper, lange Beine, sternförmig ausgebreitet. Achtstrahlige Sonnen, ungleichmäßig verteilt zu einem bizarren Muster, erschreckend in ihrer Vielzahl, obwohl sich keine von ihnen bewegt und jede einzelne sicher harmlos ist. Der Anblick lässt Henning weiter zurückweichen. Tief in seinem Inneren schlägt eine Alarmglocke an. Ein klagender Ton, unerträglich wie das Weinen eines kleinen Kindes. Kurz überlegt Henning, ob ES sich meldet, ob er kurz davorsteht, eine Attacke zu erleiden. Aber das ist es nicht. In seinem Inneren erhebt sich etwas, aus Tiefen, zu denen er keinen Zutritt hat.

Er blickt auf das Handy. Die SMS ist von Theresa. Da steht etwas von Schluss machen. Henning muss die Spinnen anstarren. Der Ekel zwingt ihn dazu. Sie dürfen da nicht sitzen, er muss sie entfernen, aber wie? Die Spinnen verhindern, dass er Theresas SMS versteht. »Lieber Henning, es ist besser, wenn wir Schluss machen. Kommt jetzt vielleicht überraschend, aber ich bin sicher, wir kriegen das super hin.« Unmöglich, dass sie das ernst meint. Es muss sich um einen bizarren Scherz handeln. Er muss sofort nach Hause, mit Theresa sprechen, aber die Spinnen lassen ihn nicht. Ihr Bild brennt sich in seine Netzhaut, er sieht sie noch, als er die Augen schließt. Ihm wird übel, der Schwindel ist übermächtig, er kann sich nicht mehr auf den Beinen halten. Er landet auf Händen und Knien, der schwarze Kies drückt sich in seine Handflächen. Kleine Steinchen, jedes einzelne ein Miniaturbrocken, wild zerklüftet, keins wie das andere, ausgespuckt von Vulkanen, die an diesem Ort vollkommen zu Hause sind. Henning lässt sich auf die Seite fallen, auch dieses Gefühl kennt er, den feinen, nicht unangenehmen Schmerz von Kies, der sich überall in die Haut bohrt.

»Hey! Hallo?«

Sein Kopf wird angehoben, der Körper sanft herumgedreht. Als der Rand eines Wasserglases seine Lippen berührt, beginnt er gierig zu trinken. Er leert das Glas, noch bevor er die Augen öffnet. Die Frau mit dem französischen Zopf. Er weiß, dass das nicht seine Mutter ist. Er halluziniert nicht, er wird nicht verrückt. Er weiß, wo er sich befindet und welcher Tag heute ist. Der Aufstieg, der Range Rover, Theresas SMS. Die Spinnen. Er dreht den Kopf, um die Wand sehen zu können, und muss gleich wieder wegschauen. Sie sind noch da, sie bedecken die Außenmauer. Eine Art Weberknechte vielleicht. Unzählige.

»Eine Plage«, sagt die Frau, die seinem Blick gefolgt ist. »Aber die tun nichts. Kommen auch nicht ins Haus. Ist dir schlecht geworden?«

Er nickt und setzt sich auf, es gelingt besser als erwartet.

»Der Aufstieg durch die Rubicón-Ebene, nicht wahr? Dehydriert und unterzuckert. Kein Wunder, bei deiner Ausrüstung.«

Sie trägt ein olivgrünes Hemd, dazu eine verwaschene Stoffhose in ähnlicher Farbe. Die nackten Füße stecken in Flip-Flops, die Zehennägel sind sorgfältig lackiert in einem dunklen Violett. Henning schätzt die Frau auf Mitte fünfzig.

»Kannst du aufstehen?«

Sie hält ihn am Arm, während er auf die Beine kommt, und lässt ihn nicht los, während sie den Garten durchqueren. Die ganze vordere Hausseite wird von einer breiten Terrasse eingenommen, in deren Mitte sich die doppelflügelige Holztür befindet, vermutlich der Haupteingang des Anwesens. Henning kennt die Farbe der Terrassenfliesen, obwohl er sie von hier aus nicht sehen kann. Ein fleckiges Gelb. Die Frau führt ihn nicht die Stufen zum Haupteingang hinauf, sondern auf die andere Hausseite und um einen Anbau herum, zu einer kleinen, blau gestrichenen Tür auf der Rückseite. Sie treten direkt in eine geräumige Küche. Henning fühlt sich gleich wohl. Der Raum ist dämmrig, es gibt nur ein Fenster über der Spüle. Man spürt die Kühle der dicken Mauern. Die Küchenmöbel sind gemauert, Unterschränke, Regale, Arbeitsflächen, glatt verputzt und weiß gestrichen, im kanarischen Stil, mit abgerundeten Ecken. Es riecht nach kaltem Olivenöl und ein wenig nach Zwiebeln. Im hinteren Teil der Küche steht ein riesiger Holztisch, mit Malutensilien bedeckt. Tuben und Tiegel in allen Farben, verschmierte Tücher, Wassergläser, der Inhalt rosa oder hellblau verfärbt, benutzte Paletten, eine Schale voll glatter, schwarzer, faustgroßer Steine.

»Setz dich.«

Die Frau zieht für Henning einen Stuhl heran und schiebt mit dem Unterarm einen Teil des Durcheinanders auf die andere Tischhälfte.

»Hinter dem Ausstellungsraum habe ich ein Atelier, aber kleinere Arbeiten mache ich hier. Du bekommst jetzt was zu essen.«

Er schaut zu, wie sie dem Kühlschrank eine Schüssel gekochter Kartoffeln und ein paar Eier entnimmt, Zwiebeln, Knoblauch und Olivenöl bereitstellt, eine Pfanne, Pfeffer, Salz. Henning zwingt sich, nicht weiter über die Schale mit den rundlichen schwarzen Steinen nachzudenken – vergeblich. Es sind genau die gleichen Steine, die seine Mutter bemalt. Einen hebt er heraus, prüft kurz das Gewicht. Real, ohne Zweifel. Keine Einbildung, keine Halluzination. Gleich bekommt er etwas zu essen, dann wird es ihm besser gehen. Vielleicht wird mit dem Schwindel auch das Gefühl verblassen, dass er diesen Ort kennt.

»Ich bin Lisa«, sagt die Frau.

»Henning«, antwortet er und fügt schnell ein »Danke«
hinzu.

»Nichts zu danken.« Sie lacht. »Ich bin ganz froh über
Besuch. Mein Mann ist über die Feiertage nach Deutschland geflogen. Jetzt sitze ich hier und langweile mich. Da
kommt mir ein unterzuckerter Radfahrer gerade recht.«

Als er mitzulachen versucht, klingt es falsch.

»Wo kommst du her, Henning?«

»Aus Göttingen.«

»Ich aus Hannover. Nebel und Schneeregen bei minus
einem Grad. Zum ersten Mal auf der Insel?«

»Eigentlich schon.«

»Gefällt es dir?«

»Irgendwie schon.«

»Du bist also ein Eigentlich-Irgendwie-Typ.«

Dieses Mal gelingt ihm ein richtiges Lachen. Er
mag Lisa. Sie strahlt Wärme aus, ihre Energie und ihr
Humor fühlen sich gut an. Das Kochen scheint ihr
Spaß zu machen. Bestimmt würde sie sich auch nicht
beschweren, wenn sie für drei Personen Wäsche auf-
hängen müsste. Sie würde vor sich hin summen, in
einem sonnigen Hof, die nächste Wäscheklammer im
Mund, die Arme nach oben gereckt. Dabei ist Henning
sicher, dass Lisa keine Kinder hat. Er stellt sich vor, wie
es wäre, mit ihr zu leben. Hier auf dem Berg. Mit dem
Tal verbunden durch eine steile Schotterpiste. An der
Seite einer älteren Frau, die ihn einen »Eigentlich-Ir-
gendwie-Typen« nennt und dabei freundlich lacht. Er
könnte Theresa eine SMS schicken. »Alles klar. Kriegen
wir super hin.«

Erster-Erster, Erster-Erster.

»Henning?«

Er hat nicht zugehört. Lisa hat sich an der Anrichte umgedreht und sieht ihn fragend an.

»Verträgst du Knoblauch?«

»Ja, klar.«

Er holt sein Handy hervor und wischt mehrmals über den Bildschirm. Das Gerät bleibt schwarz. Akku alle, es muss sich unbemerkt ausgeschaltet haben. Lisa schüttelt den Kopf.

»Vergiss es, kein Funknetz«, sagt sie, während sie Eier in eine flache Schüssel schlägt. »Auch kein Strom oder Wasser. Wir haben eine Aljibe, eine Art Zisterne, die den Regen sammelt. Und Solarzellen. Ganz früher gab es wohl nur einen Generator, der hat gelärmt wie ein startender Hubschrauber, wenn man Licht wollte. Der Preis der Abgeschiedenheit.«

Mit dem Rührlöffel deutet sie zum Fenster.

»Die Häuser da unten am Barranco, die sind alle neu. Die gab es noch nicht, als ich das Haus gekauft habe.«

Henning nickt, das hat er bereits gewusst, wenn ihm auch nicht klar ist, woher.

»Die Eigentümer haben bessere Beziehungen als wir, Baugenehmigungen waren für die kein Problem, während ich hier oben seit Jahren um die Legalisierung kämpfe. Alles Vetternwirtschaft. Aber egal.« Sie breitet die Arme aus, in der einen Hand den Rührlöffel, in der anderen einen Schneebesen. »Ich liebe dieses Haus. Mehr als alles auf der Welt. Wenn du Lust hast, zeige ich es dir. Nach dem Essen.«

»Klar, gern«, sagt Henning, obwohl er doch eigentlich dringend nach Hause muss. Falls er noch ein Zuhause hat. Er spielt schon wieder mit den schwarzen Steinen, nimmt sie aus der Schüssel, gibt ihnen einen kleinen Spin. Sie drehen sich wie Kreisel, ausdauernd, gleichmäßig. Perfekte Ovale, etwas flacher als Eier, mit kleinen Poren und glatter Oberfläche, wie poliert. Sie liegen gut in der Hand, man will sie drehen und streicheln, ein Gefühl, das Henning aus seiner Kindheit kennt. Vielleicht ist es ihm vertrauter als jedes andere.

»Bemalst du die Steine?«, fragt er.

Lisa öffnet eine Schublade und bringt ihm einen an den Tisch. Auf seiner dunklen Oberfläche strahlt ein kreisförmiges Muster aus Blautönen in allen Schattierungen, von feinstem Hellblau in der Mitte bis zu kräftigem Dunkelblau am äußeren Rand. Ein Mandala, aus verschieden großen Punkten zusammengesetzt.

»Schön«, sagt Henning. Seine Mutter malt immer nur Tiere, keine Muster.

»Darfst du behalten«, sagt Lisa. »Kunst ist das nicht. Aber auf den Märkten verkauft sich das Zeug wie verrückt. Das perfekte Souvenir, Mitbringsel von der Insel, als Briefbeschwerer, Türstopper oder Mordwaffe geeignet.« Sie lacht ihr mädchenhaftes Lachen, wirft den Zopf zurück, und Henning denkt, dass er sie wirklich gut leiden kann. Vielleicht gibt es gar keinen Ehemann, vielleicht erzählt Lisa nur von ihm, um sich hier oben in der Bergeinsamkeit vor aufdringlichen Interessenten zu schützen. »Damit finanziere ich meine Bilder. Ab und zu habe ich eine kleine Ausstellung in Playa Blanca oder Yaiza, manchmal kauft mir der Honorarkonsul ein Gemälde ab. Aber grundsätzlich bist du schlecht dran, wenn keine Schiffe, Vulkane oder Sonnenuntergänge drauf sind.«

Sie geht zurück an den Herd.

»Meine Mutter hat früher auch Steine bemalt«, sagt Henning, obwohl er das eigentlich gar nicht sagen wollte.

»Ach ja?« Sie dreht sich wieder um. »Was für ein komischer Zufall. In gewisser Weise sind die Steine mit diesem Haus verbunden. Das Haus hat mich auf die Idee gebracht. Zeig ich dir nachher, wenn wir den Rundgang machen.«

Als Zwiebeln und Knoblauch im Öl zu braten beginnen, ist Henning sicher, dass er sich bei Theresas SMS verlesen hat. In einer Welt, in der es so herrlich riecht, können Menschen einander unmöglich derartige Grausamkeiten antun.

Mit ohrenbetäubendem Knall schlägt der schwarze Stein auf den Fliesenboden, kreiselt noch ein paar Mal und bleibt liegen. Er ist Henning aus den Fingern gerutscht. Lisa schimpft nicht, sie lacht. Gerade presst sie die Kartoffel-Ei-Masse zwischen zwei Tellern und lässt das Gebilde in die Pfanne gleiten. Der Geruch verstärkt sich, Hennings Mund wässert wie beim Pawlowschen Hund. Ein paar Mal wendet Lisa den Fladen, reguliert die Höhe der Gasflamme und summt dabei tatsächlich vor sich hin, eine Melodie, in der Henning den Boléro von Ravel erkennt. Sie stellt eine Schale Oliven, Weißbrot, ein Glas und einen Krug mit Pfirsichsaft auf den Tisch. Dann kommt der Teller, dazu Messer und Gabel, keine Serviette.

»Lass es dir schmecken.«

Als Henning die erste Gabel in den Mund schiebt, muss er die Augen schließen, so überwältigend ist der Geschmack. Nie zuvor hat er etwas so Köstliches gegessen wie diese Tortilla. Er wird alles aufessen, auf höfliches Getue verzichten, kauen und schlucken, bis der Teller leer ist und der Magen voll. Auch wenn ihm davon übel werden sollte.

Lisa sieht zu, ohne selbst etwas zu essen, lächelt zufrieden über seinen Appetit. Einmal hebt sie ihr Glas, um mit ihm anzustoßen. Sie trinkt keinen Saft, sondern eine leicht perlende Flüssigkeit, die Henning für Prosecco hält. Aus einem Wasserglas.

Weil es ihm unangenehm ist, beim Essen schweigend beobachtet zu werden, stellt er ihr Fragen über das Haus. Sofort kommt Lisa ins Reden. Das Haus ist ihr Lieblingsthema, man merkt, dass sie die Geschichte schon viele Male erzählt hat.

Im Jahr 1987 hat Lisa die Insel zum ersten Mal betreten, für einen zweiwöchigen Urlaub, und ist nur noch nach Deutschland zurückgekehrt, um ihre Existenz aufzulösen. Das Haus hatte sie während einer Wanderung entdeckt, hier oben an der Flanke des Atalaya, einsam gelegen und weithin sichtbar, ein etwas heruntergekommenes Märchenschloss. Es stand leer. Lisa ging durch das offene Tor, durch den Garten, dem anzusehen war, dass er seit einiger Zeit kein Wasser bekam, und setzte sich auf die Terrasse, wo noch ein paar Gartenstühle herumstanden. Sie überblickte Femés, das Pozo-Tal, die von Ziegen gesprenkelten Hänge. Sie sah die Perlreiher, weiße Pfeile, die den Ziegen folgten. Die rötlichen Canyons, die Vulkanberge der Ajaches-Kette. In weiter Ferne lag das dunstige Meer, hier und da mit winzigen Segelbooten besteckt. Lisa kam sich vor wie die Königin der Welt. Sie konnte kein Spanisch. Sie kannte niemanden auf der Insel. Sie fand trotzdem heraus, wem das Anwesen gehörte. Es stand zum Verkauf.

»Da war etwas passiert, hier im Haus«, sagt Lisa, während Henning mit einem Brotkanten noch etwas Olivenöl vom Teller wischt. »Es wurde schon als Ferienhaus vermietet, als hier noch alles fehlte. Dann muss etwas schiefgegangen sein, zwei kleine Kinder wurden halbtot aufgefunden, aber was genau passiert war, konnte ich nicht herausfinden. War ja auch nicht meine Sache, verstehst du? Das Haus war ein Schnäppchen.«

Sie trinkt ihren Prosecco aus, Henning seinen Saft. Er fühlt sich schwer und satt.

»Mit den Jahren habe ich es renoviert, ein bisschen ausgebaut, mit aller Liebe gepflegt. Anfangs habe ich hier in der Küche geschlafen, kannst du dir das vorstellen? Dann kam der Ausstellungsraum dran, später Schlafzimmer und Ateliers. Komm, ich zeige dir alles.«

Sie berührt seine Hand, und Henning fragt sich, ob sie mit ihm flirtet. Er hat sich noch nicht fürs Essen bedankt. Lisa geht in die Speisekammer und füllt ihr Glas, ohne ihm etwas anzubieten. Vielleicht der restliche Prosecco von einer einsamen Silvesterfeier am Vorabend. Um aufzustehen, stützt er beide Hände auf den Tisch. Es ist nicht nur der volle Magen, der ihm Probleme macht, sondern vor allem die verkrampfte Beinmuskulatur.

»Wenn man einmal hier Fuß gefasst hat, will man

nicht mehr zurück.« Sie stehen sich am Spülstein gegenüber, der aussieht, als wäre er aus einem riesigen Granit-Findling gehauen. Lisa ist nicht viel kleiner als er. Ihr Zopf ist perfekt symmetrisch geflochten. Erstaunlich, wie man so etwas alleine hinbekommt. Hennings Mutter konnte das auch. Er hat ihr manchmal zugesehen, wie sie im Badezimmer stand, beide Arme hinter dem Kopf, die Finger in spinnengleicher Bewegung. In Windeseile entstand dieser feste, gleichmäßige Zopf, eng am Hinterkopf, unten in einem losen Schwänzchen auslaufend. Henning weiß sogar, wie sich das geflochtene Haar anfühlt. Am liebsten würde er Lisas Kopf anfassen, die Hand vorsichtig über die Rippen der Flechtung gleiten lassen, das lose Ende zu einer dicken Rolle um die Finger wickeln. Aber das würde sie falsch verstehen.

»Meine deutschen Freunde fragen mich, ob ich auf der Insel nichts vermisse, Kino, Theater, Kultur. Aber wenn ich dann mal bei euch bin, fällt mir wieder auf, wie wenig Kino und Theater zu geben haben. Ihr seid einfach unglücklicher als wir. Die vielen Sorgen, mit denen ihr euch quält, all die Probleme... Wenn man eine Weile hier gelebt hat, versteht man das gar nicht mehr.«

Er könnte ihr von Theresas Nachricht erzählen. Von einer Frau, die am Neujahrsmorgen per SMS ihren Mann verlässt, während die Kinder im Garten des Ferienhäuschens spielen. Er könnte fragen, ob das ein echtes Problem ist oder deutsche Sorgenlust. Aber Lisa ist eine Fremde, und er befürchtet, dass sie sagen könnte, man müsse auch in einer Trennung das Positive sehen, immerhin sei es eine Chance. Warum er nicht einfach hierbleibe und neu anfange, so wie sie damals.

Sie verlässt das Haus durch die Hintertür, Henning folgt ihr auf steifen Beinen. Der schwarze Kies bedeckt den gesamten Garten, durchzogen von dünnen schwarzen Bewässerungsschläuchen, wie endlose Schlangen, alle miteinander verbunden. Lisa erklärt, dass der Bodenbelag »Picón« heiße, im Rubicón-Tal abgebaut werde und Wasser speichere, was für die Pflanzen überlebenswichtig sei. Henning kennt das Wort. Pik, Pik, Picón. Obwohl er Schuhe trägt, spürt er das Piksen der Steinchen unter nackten Sohlen.

Ganz offensichtlich wurde die Anlage mit großem Aufwand und Liebe gestaltet. Blühender Oleander, Hibiskus, duftende Malven, die dicken Körper alter Kakteen, ein kleiner Palmenwald, in dem der Wind ein beständiges Rauschen erzeugt. In einer Ecke hat Lisa einen Obstgarten angelegt, sie erklärt ihm die Früchte, Feigen, Maulbeeren, Granatapfel, Mango, Papaya, Drachenfrucht, Kiwi, es gibt nichts, was hier nicht wächst. Wenn sie ein Stück Gartenmauer passieren, hält Henning nach Weberknechten Ausschau, entdeckt aber keine; anscheinend leben sie nur an der einen Wand.

Lisa zeigt Anbauten, die man zu Ferienappartments ausbauen könnte, sie zeigt die Garage und einen guten Ort für einen Swimmingpool, auch wenn sie lieber im Meer baden geht. Sie hat keine Lust, an Touristen zu vermieten, weiß aber nicht, ob sie sich das Leben weiterhin leisten kann. »Es wird nicht leichter, und man wird nicht jünger«, sagt sie und schaut ihn an, als müsste er genau wissen, was sie meint.

Als Nächstes zeigt sie die Solaranlage und das Notfallaggregat, fast ist es, als wollte sie Henning das Anwesen verkaufen. Hinter dem Haus befindet sich ein terrassenartiges Podest, groß, ohne Aussicht, weil nah an den Außenmauern gelegen, nicht mit Fliesen, sondern von einer bräunlichen Putzschicht bedeckt. Als sie die Fläche betreten, sieht Henning das Loch. Ein rechteckiger Ausschnitt im Boden. Groß genug, um einen Menschen zu verschlingen. Darunter das Nichts. Eine Schwärze und Leere, wie sie auf dieser Erde eigentlich nicht anzutreffen sind. Ein Fenster zum All. Instinktiv packt er Lisa am Arm, als könnte das Loch sie ansaugen und schlucken. Oder ihn selbst.

»Was ist das?«

»Das?« Sie lacht und tätschelt beruhigend seine Hand. »Das ist die alte Aljibe. Ein unterirdischer Wasserspeicher. Darin wird Regenwasser aufgefangen. Komm mal näher.«

Mit zögernden kleinen Schritten tritt Henning bis an den Rand und schaut hinunter. Als sich die Augen an das Dunkel gewöhnen, sieht er den Wasserspiegel, vielleicht acht Meter unter dem Boden, schwarz wie Öl. Lisa hebt eine Handvoll Steine auf und lässt sie hinunterfallen. Das Platschen klingt hohl, die Oberfläche kräuselt sich und verwandelt sich gleich darauf wieder in schwarzes Nichts.

»Ist da unten alles hohl?« Er stampft mit dem Fuß auf.

»Das ist ganz alte Technik, mit Rundbögen gemauert. Da bricht nichts ein. Ich benutze die Aljibe nur noch zur Gartenbewässerung. Fürs Haus habe ich ein modernes System.«

»Aber wenn da jemand hineinfällt?«

»Dann ist er weg.« Wieder lacht Lisa. »Die eine oder andere Katze wird schon darin verschwunden sein. Aber Menschen fallen nicht einfach in Löcher, weißt du.«

Sie wendet sich ab, um zum Haus zurückzugehen, aber Henning steht weiter da und starrt in das Nichts vor seinen Füßen. Er hört eine Frauenstimme: »Das gibt's doch nicht! Werner, komm sofort her, das musst du dir ansehen! Wenn da ein Kind reinfällt! Wir müssen sofort den Vermieter anrufen.« Dann die ruhige Stimme seines Vaters: »Es gibt hier kein Telefon, Schatz. Ich suche ein Brett.«

»Komm«, ruft Lisa, »das Beste zum Schluss!«

Henning folgt wie von selbst, das Gehirn erteilt dem Körper keine bewussten Befehle mehr. Sein System steht kurz vor dem Not-Aus. Er versteht schon seit einer ganzen Weile nicht mehr, was passiert. Er zieht in Erwägung, gar nicht wach zu sein, aber das ist ausgeschlossen, er weiß, dass er nicht träumt. Nichts passt mehr zusammen, es ist, als wären die Naturgesetze dabei, außer Kraft zu treten, als könnte er jeden Moment vom Boden abheben und sanft kreiselnd mit Lisa durch den Garten schweben. Als hätten Zeit und Raum ihre Bedeutung verloren und wären drauf und dran, den Quelltext unter der Benutzeroberfläche freizugeben, einen Code, der alles mit allem verbindet, in dem Menschen nichts weiter sind als Kreuzungspunkte der verschiedenen Energien.

»Jetzt lass doch den Schacht«, ruft Lisa, »hier geht's lang.«

Sie stehen auf der vorderen Terrasse, die Fliesen sind

tatsächlich gelb gefleckt. Lisa macht sich am schweren Riegel des doppelflügeligen Tors zu schaffen. Er klemmt. Henning betrachtet Femés. Vorhin erschien ihm das Dorf als Gipfel seiner Ziele, als höchster zu erreichender Punkt, jetzt liegt es klein und spielzeughaft unter ihm. Von hier aus hat man einen phantastischen Blick, man erkennt jede winzige Einzelheit. In vielen Gärten stehen Betonmischer, einige Häuser sind nicht verputzt. Trotzdem sieht alles sauber und ordentlich aus. Während Henning guckt, ändern sich die Distanzen. Die Schotterpiste wird länger, dehnt sich aus, Femés rückt in immer größere Entfernung, wird unerreichbar, Henning glaubt zu schrumpfen. Der Schmerz in seinen Beinen wird zum Schmerz von Kinderbeinen, die zu kurz sind, um auf dieser Welt irgendetwas zu erreichen.

Der Riegel gibt nach.

»Ta-daa!«, macht Lisa. Sie hat die Flügeltür aufgestoßen, Henning blickt in den Ausstellungsraum. Als Erstes sieht er die Steine: eine Schnecke, eine Schlange, einen Skarabäus, einen Tausendfüßler, in bunten Farben mit feiner Punkttechnik auf dunklen Untergrund gemalt. Sie liegen in einer kleinen beleuchteten Vitrine gleich neben dem Eingang. Lisas Stimme kommt aus großer Ferne.

»Diese Steine sind nicht zu verkaufen. Die habe ich damals im Haus gefunden. Sind meine Glücksbringer. Haben mich auf die Idee gebracht.«

In der Mitte des gewaltigen Raums eine turmartige Erhöhung, wie ein breiter Schacht, in dem an langen Ketten Topfpflanzen baumeln. Darüber eine Glaskuppel, die Kaskaden von Sonnenlicht einlässt.

Kunst überall, Bilder, Skulpturen, denen Henning keine Beachtung schenkt. Er sieht das Sofa. Es steht einfach da, ein wenig in die Ecke gerückt, mit einer bunten, orientalisch anmutenden Decke geschmückt. Auf dem Sofa sitzt eine Frau, nein, sie liegt halb, die Beine geöffnet, den Oberkörper nach hinten gebogen. Hat Lisa sich hingelegt?

Da ist der Rücken. Ein Männerrücken, nackt, dreieckig, die Muskulatur angespannt, die dunkle Behaarung in zwei breiten Spuren links und rechts der Wirbelsäule herablaufend. Hat sich Henning auf Lisa geworfen? Versucht er, sie zu küssen?

Aber das ist nicht sein eigener Rücken. Und das ist nicht Lisa.

Es ist seine erste Flugreise. Er ist so aufgeregt. Wo sind Mami und Papi? Sie suchen Platz für das Handgepäck in den Fächern hoch über den Köpfen. Papa flucht, wie immer, wenn etwas nicht so läuft, wie er will. Da ist Luna, sie sitzt neben Henning am Fenster und hüpft vor Begeisterung auf ihrem Sitz. Als sie angeschnallt werden soll, beginnt sie zu brüllen. Mama kommt, sie beugt sich über ihn, um Luna zu beruhigen. Ihr würziger, süßer Duft, die langen Haare, die warmen Hände mit den bunten Fingernägeln, die liebt er am meisten. Die Plätze müssen noch einmal getauscht werden, er ans Fenster, Luna in die Mitte. Dann geht es los, hoch in den Himmel. Henning hat nicht geglaubt, dass sie die Wolken durchqueren, er dachte, das gehört zu den Dingen, die Erwachsene nur so sagen. Jetzt sieht er, dass es stimmt. Von oben sehen die Wolken aus wie eine dicke Schneedecke, auf der man laufen kann. Henning stellt sich vor, wie er darin herumtoben würde, Wolkenschnee in die Luft werfen, sich darin herumwälzen, einen Wolkenschneemann bauen. Er stellt sich gern Dinge vor, um sich die Zeit zu vertreiben. Die Geschichten in seinem Kopf hören niemals auf. Mama sagt immer, er soll dankbar dafür sein.

Laut fragt er, ob sie bis zum Mond fliegen werden, und die Eltern lachen.

»Hast nicht Unrecht«, sagt Papa. »Die Insel sieht wirklich ein bisschen aus wie der Mond.«

Henning bringt die Eltern gern zum Lachen. Sie mögen es, wenn er kluge Sachen sagt. Einmal hat er gesagt: »Wir sind nur so lang auf der Welt, wie ein Kieselstein klein ist.« Mama hat ihn umarmt und geküsst, und Papa hat den Satz aufgeschrieben, auf die erste Seite eines Fotoalbums. Das mit dem Kieselstein ist Henning eingefallen, weil er so viel über die Zeit nachdenkt. Er kann die Uhr noch nicht lesen, beobachtet aber oft die Zeiger. Man kann ihre Bewegung nicht sehen, es sei denn, man guckt weg und nach einer Weile wieder hin. Am meisten stört ihn an der Zeit, dass sie eigentlich immer zu schnell oder zu langsam läuft. Nie scheint sie zu passen. Henning glaubt, dass die Zeit nicht sein Freund ist. Auch das hat er einmal gesagt, und Mama hat ihn lange gestreichelt und gedrückt.

Im Flugzeug ist die Zeit definitiv zu lang. Sie dürfen nicht aufstehen und herumrennen, und Henning hält das Sitzen bald nicht mehr aus. Es gibt Streit mit Luna. Sie will das kleine Feuerwehrauto haben, das er zum Geburtstag bekommen hat und immer mit sich herumträgt. Sie zerrt an seinem Ärmel und schreit, er drückt sie weg, bis Mama sagt, dass er lieb zu seiner kleinen Schwester sein soll. Es ist furchtbar, wenn Luna an ihm herumzerrt und seine Sachen haben will und er am Ende ihretwegen Ärger kriegt. Sie ist noch ein halbes Baby, sie trägt Windeln und trinkt Milch aus der Nuckelflasche. Wenn sie müde ist, kann sie unheimlich nerven. Aber meistens macht sie, was Henning sagt, schaut ihn bewundernd an und ist stolz, wenn er sie lobt. Manchmal sagt sie lustige Sachen wie »Menga-Menga« statt »Schmetterling«, das könnte er immer wieder hören. »Luna, sag mal Schmetterling!« Sie lachen sich dann zusammen kaputt. Überhaupt lacht Luna gern, sie hat einen großen Mund, der sich gut zum Lachen eignet. Mama sagt, sie sei nicht so ernst wie er. Aber Henning muss ernst sein, denn er ist schon ziemlich groß. Er muss auf Luna aufpassen. Auch Papa sagt das oft. »Henning, pass mal kurz auf deine Schwester auf, du bist doch schon groß.« »Henning, ein großer Junge darf seine kleine Schwester nicht hauen.« »Henning, Luna läuft weg! Du musst schon ein bisschen auf sie aufpassen.« Oft hat er Angst um sie. Vor der Reise hat er immer wieder gefragt, ob sie nicht aus dem Flugzeug fallen kann. Mama und Papa haben gelacht, obwohl er es dieses Mal gar nicht witzig meinte.

Nach dem Flug ist alles sehr verwirrend, sie rennen hierhin und dorthin, die Koffer kommen auf einem Band, der Kinderwagen fehlt, Mama und Papa laufen herum, Luna schläft am Boden auf Mamas Jacke, Henning passt auf sie auf, obwohl er selbst sehr müde ist. Irgendwann sitzen sie in einem Auto, Henning schläft sofort ein. Als er wieder erwacht, steht das Auto auf einem Berg. Türen knallen, der Kofferraum wird zugeschlagen. Henning steigt aus, rennt um den Wagen herum und hilft Luna, die manchmal hinfällt, wenn sie alleine aussteigen will. Er schaut sich um. Noch nie im Leben war er so hoch oben. Außer im Flugzeug. Fast ist es, als würden sie noch immer darin sitzen.

»Guck mal«, ruft er, »da unten, die Autos!«

»P-lein«, sagt Luna, »danz p-lein!«

Die Autos im Tal sind klein wie von Matchbox, sie fahren auf einem grauen Band zwischen den Bergen herum. Henning entdeckt auch winzige Häuser, winzige Palmen, die wie Staubwedel aussehen, und sogar einen Bagger, der den Arm bewegt. Henning kann das Rumpeln der Steine hören, obwohl der Bagger so weit weg ist.

»Papa, die bauen da unten ein Haus!«

Aber die Eltern haben keine Zeit, sie tragen Koffer und Taschen ins Haus, Henning nimmt Luna an der Hand, sie laufen hinterher.

Das Haus ist riesig, es erinnert Henning an die Burgen in seinen Büchern, aber es ist weiß, nicht braun oder grau. Ein dicker Turm, ein riesiges Holztor. Fehlt nur die Zugbrücke. Drinnen gibt es einen großen Saal, das Licht kommt von oben, so etwas hat Henning noch nie gesehen. Verschiedene Türen öffnen in Flure, die zu verschiedenen Zimmern führen, man kann sich verlaufen wie in einem Labyrinth. Aber Henning will erst mal den Garten erkunden, er läuft mit Luna hinaus. So sieht es also auf dem Mond aus. Überall liegt schwarzer Kies, der unter den Füßen knirscht und sofort in die Sandalen dringt. Mama hat gesagt, dass die schwarzen Steinchen »Picón« heißen. Kakteen wachsen hier, groß wie Erwachsene. Die Sonne brennt. Hier können sie Ritter spielen, Piraten, Krieg und Von-zu-Hause-weglaufen, man weiß gar nicht, womit man anfangen soll. Es gibt unzählige Verstecke, sie kriechen unter Büsche, balancieren auf wackligen Mäuerchen, Henning hält Lunas Hand und passt auf, dass sie nicht stürzt. Er ist der beste Bruder der Welt, das sagt Mama manchmal, wenn er besonders gut auf Luna achtgegeben hat.

Als sie plötzlich losbrüllt, ist er sofort zur Stelle, er denkt, sie sei hingefallen, und fragt, wo es wehtut, aber sie steht nur da auf ihren kurzen Beinchen, weint heftig und zeigt mit ausgestrecktem Arm auf eine Wand.

»Binne! Binne! Binne!«

Da sieht Henning es auch. Die ganze Wand ist mit Spinnen bedeckt, sie sind riesig, es sind unzählige, es ist schlimmer als alles, was er jemals gesehen oder geträumt hat. Er packt Luna am Arm, sie rennen davon, Papa holen, es dauert lange, bis sie ihn finden, er sitzt auf der Terrasse in einem Liegestuhl, will eine Zigarette rauchen und nicht aufstehen, aber sie ziehen an seinen Fingern und schreien so lange, bis er kommt.

Als er die Spinnen sieht, macht er ein erstauntes Geräusch.

»Ganz schön viele, oder, Papa?«

»Das sind viele«, sagt Papa und legt Henning eine Hand auf den Kopf. Mit der anderen hält er Luna auf dem Arm, sie weint immer noch.

»Ulla!«, ruft Papa. »Bring mal die Kamera!«

Mama kommt und macht Fotos von den Spinnen und redet von »Phänomen« und »Motiv«, während Luna »Wegmachen! Wegmachen!« brüllt.

»Alles gut, Süße«, sagt Papa und lässt Luna auf seinem Arm hopsen. »Wir machen sie weg.«

Er geht und kommt wieder, einen Gartenschlauch hinter sich herziehend. Anscheinend ist der Schlauch schwer, Papa müht sich ziemlich ab, bis er endlich damit vor der Spinnenmauer steht.

»Achtung«, sagt er und öffnet die Düse. Ein Wasserstrahl trifft die Wand und spült sofort ein großes

Knäuel Spinnen in den Picón. Luna juchzt vor Begeisterung, Henning starrt mit großen Augen und spürt, wie ihm übel wird. Das Wasser faltet die Spinnen zusammen, es nimmt ihnen die Beine weg, verwandelt sie von großen Sonnen in hässliche Klumpen. Einige versuchen, davonzukriechen, Papa macht sich einen Spaß daraus, sie mit dem Wasserstrahl zu jagen, bis sie nass an der Mauer herunterrutschen. Im Picón liegen sie häufchenweise in den Wasserlachen, winden sich, versuchen, die Beine frei zu bekommen, und Henning kann nicht mehr hinsehen. Er lässt Papas und Lunas Jubel hinter sich und geht ins Haus.

Die kommenden Tage sind das Paradies. Ein paar Mal fahren sie an den Strand. Henning baut Burgen und Gräben im warmen Sand, während Luna in einer gelben Plastikschüssel sitzt, die Papa mit Meerwasser gefüllt hat. Oder sie machen einen Ausflug durch die seltsame Vulkanlandschaft. Obwohl alle Fenster heruntergekurbelt sind, ist es so heiß im Auto, dass sie bald anhalten und unter den Sonnenschirmen eines Restaurants Eis essen und Limo trinken.

Aber die meiste Zeit verbringen sie am Haus, und dort gefällt es Henning auch am besten. Über dem Garten spannt sich der dunkelblaue Himmel, ein leichter Wind streichelt die Haut. Das Rauschen der Palmen klingt wie die Brandung, und auch die Luft riecht immer ein bisschen nach Meer. Wenn man die Augen schließt, malt die Sonne kreisförmige Muster auf die Lider, die sich bewegen wie in einem Kaleidoskop. Nach und nach erkunden Henning und Luna jeden Winkel des Gartens. Nur die Hausseite mit der Spinnenwand meiden sie. Schon am nächsten Tag waren die Spinnen wieder da, genauso viele wie vorher, ein Muster aus achtstrahligen Sonnen, das die Hauswand bedeckt. Henning weiß nicht, ob sie getrocknet und wieder hinaufgeklettert sind oder ob neue Spinnen die Plätze der ertrunkenen eingenommen haben. Papa hat keine Lust mehr, den Gartenschlauch zu ziehen, also bleiben die Spinnen, wo sie sind. Henning und Luna versuchen, gar nicht an sie zu denken.

Es gibt noch etwas im Garten, das sie meiden. Hinter dem Haus befindet sich eine Betonfläche, fast wie eine Terrasse, aber ohne Tisch und Stühle. Man könnte darauf prima Fangen spielen, aber Mama hat ihnen verboten, die Fläche auch nur zu betreten. Denn in der Mitte ist ein viereckiges Loch. Als Mama es entdeckte, hat sie sich furchtbar aufgeregt.

»Das gibt's doch nicht! Werner, komm sofort her, das musst du dir ansehen! Wenn da ein Kind reinfällt!«

Sie hat Henning und Luna an den Händen genommen und ist mit ihnen vorsichtig bis zum Rand des Lochs gegangen. Luna hat sich nur mit winzigen Schrittchen genähert und den kleinen Oberkörper weit vorgebeugt, solche Angst hatte sie vor dem schwarzen Fenster im Boden. Henning hielt es kaum aus, dass Luna dem Loch so nahe kam. Auch wenn er wusste, dass Mama sie gut festhalten würde, hätte er sie am liebsten selbst gepackt und wäre mit ihr davongerannt.

»Da unten wohnt ein Monster«, sagte Mama, und Henning, der gerade in die unfassbare Finsternis gestarrt hatte, fuhr zurück. Er spürte, wie sein ganzer Körper von Kälte erfasst wurde. »Wenn ihr zu nah herankommt, zieht es euch in die Tiefe. Hier dürft ihr niemals spielen. Bleibt davon weg, verstanden?«

Papa hat das Loch mit einem Brett zugedeckt, damit das Monster nicht herauskann. Wenn Henning und Luna abends in ihren Betten liegen, muss Henning trotzdem dauernd daran denken. Er vermutet, dass das Monster unter dem gesamten Haus lebt, in einem wassergefüllten Keller, lichtlos, unendlich tief. Manchmal hört er Geräusche, die von dem Monster stammen, ein dumpfes Bollern, auch wenn Mama behauptet, das sei nur der Wind. Mit Luna spricht er nicht darüber, um sie nicht zu ängstigen. Das Zimmer, in dem sie schlafen, ist sowieso schon gruselig genug. Es ist ganz leer bis auf zwei schmale Holzbetten, die Papa zusammengeschoben hat, damit Henning und Luna nebeneinander liegen können. Auf die eine Seite hat Papa zwei Stühle gestellt, mit den Rückenlehnen zum Bett, damit Luna nachts nicht herausfällt. Das Fenster ist klein und vergittert. An der Wand hängt das Bild einer Frau, die nach oben guckt und rote Tränen weint. Solange Mama abends auf der Bettkante sitzt, ist mit dem Zimmer alles in Ordnung. Sie erzählt eine Gute-Nacht-Geschichte, streichelt den Kindern die Köpfe. Das Zimmer ist angenehm kühl, unter der großen Decke ist es schön warm, Henning fühlt sich wohl. Aber sobald Mama fort ist, ändert sich alles. Das Zimmer dehnt sich aus, die Wände verschwinden, die Dunkelheit beginnt zu atmen. Luna schläft schnell ein, sie ist müde von dem anstrengenden Tag. Dann liegt Henning ganz still neben ihr, schaut die Frau auf dem Bild an und überlegt, ob ihr Weinen etwas mit dem Monster zu tun hat. Ob das Monster ihr die Kinder weggefressen hat, denn Kinder sind auf dem Bild nicht zu sehen.

Wenn Henning nachts auf die Toilette muss, spürt er die Größe des Hauses und die Dicke der Wände und muss sich beherrschen, um nicht nach Mama und Papa zu schreien. Tagsüber verirrt er sich inzwischen nur noch selten, aber nachts scheint sich das Haus wieder in ein Labyrinth zu verwandeln. Manchmal erreicht er die Toilette ohne Umwege, kann aber auf dem Rückweg nicht gleich das Zimmer finden. Dann denkt er an Luna, allein im Bett unter der weinenden Frau, und stellt sich vor, wie das Monster hereinkommt. Wenn er dann endlich wieder zu Luna unter die Decke kriechen kann, wird ihm ganz übel vor Erleichterung.

Am nächsten Morgen sind alle Nachtgedanken verschwunden, das Haus ist wieder hell und übersichtlich, und auch an das Monster glaubt Henning nicht mehr. Es gibt Frühstück auf der Terrasse, frische Croissants, die Papa mit dem Auto unten im Dorf holt, es riecht nach Kaffee, und Mama sagt jeden Tag, dass die Sonne auch in der Frühe schon unglaubliche Kraft besitzt. Tatsächlich wärmen ihnen die Sonnenstrahlen schon beim Frühstück die Gesichter. Es ist friedlich und schön.

Im Lauf des Tages streiten Mama und Papa oft. Das machen sie auch zu Hause in Deutschland. Mama sagt, dass Streiten nicht schlimm ist. Henning und Luna kriegen sich doch auch manchmal in die Haare und haben sich trotzdem lieb. Aber das Streiten der Eltern ist etwas anderes, nur weiß Henning nicht, wie er das ausdrücken soll.

Jeden zweiten Tag kommt ein Mann in den Garten.

Er heißt Noah, bewässert die Palmen, schneidet die Pflanzen, fegt heruntergefallene Blüten zusammen. Er harkt den schwarzen Picón, bis keine Kinderfußspuren mehr zu sehen sind. Am Schluss arbeitet er meistens noch an der Bewässerungsanlage, verbindet dünne schwarze Schlauchstücke zu endlosen Schlangen mit unzähligen kleinen Mäulern, die das Wasser an die Füße der Pflanzen speien. Henning und Luna kauern sich neben ihn und sehen zu. Er redet viel, erklärt ihnen, was er macht, allerdings auf Spanisch, so dass sie kein Wort verstehen. Henning kann »Hola«, »Que tal« und »Gracias« sagen; Luna sagt »Sí« und »No«, worüber sich Noah riesig freut. Am Anfang hatten sie Angst vor ihm, weil er laut spricht und immer alle anfassen muss. Er küsst Mama zur Begrüßung, schlägt Papa auf den Rücken und wirft Luna in die Luft, wobei sie beim ersten Mal schrecklich zu weinen anfing. Inzwischen mögen sie Noah ganz gern, vor allem, wenn ihnen gerade nicht einfällt, was sie spielen sollen. Manchmal lässt Noah Henning den Gartenschlauch halten, und Luna darf trockene Blüten in einen Eimer werfen. Oder er setzt sie beide in die Schubkarre und schiebt sie eine Runde ums Haus.

Den ganzen Tag haben sie Kies in den Schuhen. Am Anfang riefen sie »Pik, pik, Picón!« und leerten die Schuhe alle paar Minuten aus. Aber bald ist ihnen das zu mühselig geworden, vor allem weil Luna Hilfe beim Anziehen braucht und Mama keine Lust hat, ständig gerufen zu werden. Sie haben sich einfach an die Steinchen gewöhnt und spüren sie unter den Fußsohlen fast gar nicht mehr. Wenn Mama ihnen abends mit den Schuhen hilft, finden sich ganze Hände voll Picón darin. »Das sind ja zwei Kilo!«, ruft sie und trägt die Schuhe auf die Terrasse, um sie auszuleeren.

Einmal fahren sie an einen Strand, der nicht aus Sand besteht, sondern aus schwarzen Steinen. Sie sind rund und glatt, es gibt sie in allen Größen, die kleinsten wie Erbsen, die mittleren wie Gänseeier, die großen wie Kürbisse. Mama ist ganz begeistert. Sie fängt sofort an, die schönsten Steine zu sammeln. Die ganze Badetasche packt sie damit voll. Am Strand stehen kleine Steintürme, die andere Touristen gebaut haben, sie sehen aus wie Männer mit lustigen Hüten, die aufs Meer hinausschauen. Papa baut mit Henning und Luna auch einen Turm. Die Kinder suchen die besten Steine aus, Papa versucht, so viele wie möglich aufeinanderzustapeln. Dabei sagt er Wörter wie Statik, Schwerpunkt und Balance, Wörter, die im Mund ganz erwachsen schmecken, ein bisschen sperrig, aber gut. Es ist ein herrlicher Tag. Luna zeigt, wie schwer sie schon schleppen kann, Henning spielt Architekt, Papa und Mama sind fröhlich und sagen kein einziges Mal, dass die Kinder nerven. Die Brandung rauscht, bricht sich an den Felsen und steigt an manchen Stellen in hohen weißen Fontänen auf. Die vielen runden Steine erzeugen ein eigenartiges Geräusch, wenn das abfließende Wasser sie übereinanderrollen lässt, wie Musik von einem Zauberinstrument. Als Henning Mama darauf aufmerksam macht, küsst sie ihn und sagt, dass er einen Sinn für das Schöne besitzt. Es ist, als würde von den schwarzen Steinen eine besondere Kraft ausgehen.

Auf dem Rückweg will Mama unbedingt in einen

Baumarkt, um Farben zu kaufen. Lange fahren sie kreuz und quer über die Insel, es ist heiß, Luna fängt an zu quengeln, Papa bekommt schlechte Laune und schreit Luna an, woraufhin sie noch lauter heult. Aber Mama gibt nicht auf, bis sie die Farben gefunden hat, die sie sucht, dazu verschiedene Pinsel und ein Fläschchen mit durchsichtigem Lack.

Zuhause setzen sie sich an den Terrassentisch, auch Henning und Luna bekommen je einen Stein. Luna schmiert so viel Farbe darauf, dass sie nach zwei Minuten fertig ist, den Rest verteilt sie auf der Tischkante und in ihrem Gesicht. Auf seinen Stein malt Henning ein Auto mit roten Rädern und blauem Dach. Mama tupft lauter kleine Punkte auf ihren Stein, in verschiedenen Farben, man kann nicht erkennen, was es werden soll. Wenn Henning fragt, sagt sie nur, sie sei noch nicht fertig, und dabei lächelt sie und sieht richtig glücklich aus.

Am nächsten Morgen liegen die fertigen Steine auf dem Frühstückstisch, einer an jedem Platz. Mama sagt, es seien Geschenke. Luna hat einen Tausendfüßler bekommen, er ist bunt wie ein Regenbogen, sie quietscht vor Begeisterung und drückt den Stein an die Wange wie ein Kuscheltier. Auf Papas Stein ist eine Schnecke, für sich selbst hat Mama eine Schlange gemalt. An Hennings Platz liegt ein Käfer, golden mit bunten Punkten, langen Fühlern und kräftigen Beinen. Erst ist Henning nicht sicher, ob er den Käfer mag, aber dann erklärt Mama, dass er »Skarabäus« heißt und Glück bringt. Der Name gefällt Henning, und der Stein fühlt sich wunderbar glatt und schwer an in der Hand. Er läuft mit Luna in ihr Zimmer, sie legen die Steine auf die Bettpfosten, und schon sieht der Raum nicht mehr so düster und traurig aus.

Es ist ein besonders heißer Tag. Man merkt schon, dass der Urlaub zu Ende geht, die Zeit gerät ins Rutschen, die Tage scheinen immer schneller zu vergehen. Trotz der Hitze spielen Henning und Luna im Garten. Sie arbeiten an ihrem Schneckenmuseum, das sie unbedingt noch fertigkriegen wollen. Im Schatten unter einer Palme haben sie verschiedene Steine angeordnet, ein paar runde vom schwarzen Strand, dazu weiße, die leicht splittern, löchrige in Braun und Schwarz und sogar ein paar grüne, die in der Sonne glitzern. Das sind die Podeste, auf denen sie Schneckenhäuser und Muschelschalen ausstellen. Spitze, runde, kleine, große, gefleckt oder gestreift, manche mit Glitzer, manche ganz weiß. Während sie arbeiten, gibt Henning Anweisungen, er ist der Architekt, Luna der Assistent. Wenn sie zufrieden ist, wie jetzt, plappert sie ununterbrochen vor sich hin, und alles, was sie sagt, klingt wie eine Frage, weil sie die Wörter hinten in die Länge zieht. »Neue Necke hiiier?« Henning mag es, wenn sie so plappert, es hat etwas Friedliches, wie das Fließen von Wasser oder zwitschernde Vögel.

Irgendwann wird es zu heiß, Hennings Kehle brennt. Er sagt zu Luna, dass sie reingehen, zu Mama, und etwas trinken.

Durch die doppelflügelige Holztür kommt man von der Terrasse direkt in den Saal, aber die Klinke geht zu schwer. Um zur kleinen Küchentür hinter dem Haus zu gelangen, müssen sie an der Spinnenwand entlang.

Sie fassen sich an den Händen und rennen, so schnell Luna im Kies auf ihren kurzen Beinchen kann. Natürlich würde Henning lieber noch viel schneller an den Spinnen vorbei, aber wenn er vorausläuft, beginnt Luna zu schreien, lässt sich auf die Knie fallen und geht keinen Schritt mehr. Dann muss Henning zurück und an ihr ziehen, was meistens nichts bringt, weshalb er ein drittes Mal an den Spinnen vorbeimuss, um Mama zu holen.

In der Küche umfängt sie kühle Luft, aber es ist niemand da, also laufen sie weiter, durch den kurzen Flur zum großen Saal, dessen Eingang ein schwerer Vorhang verdeckt. »Was soll man denn hier drin machen?«, hat Papa am ersten Tag gefragt, und Mama hat »Tanzen!« gerufen und sich mit Henning im Kreis gedreht. Dazu hat sie »Brüderchen, komm, tanz mit mir« gesungen, bis ihnen schwindelig geworden ist.

Als Henning sich durch den Vorhang gekämpft hat, ist er geblendet vom Licht, das senkrecht durch die Kuppel fällt. Aber nur einen Augenblick – dann sieht er den Mann. Er steht oder kniet oder liegt halb auf der Couch mit der bunten Decke. Sein Rücken ist nackt. Henning sieht dunkle Haare darauf, in breiten Spuren links und rechts der Wirbelsäule, wie eine Straße mit getrennten Fahrbahnen. Er kennt diesen Rücken schon, weil Noah manchmal ohne T-Shirt arbeitet. Als Nächstes sieht er Mamas Beine mit den goldenen Riemchensandalen, die er so schön findet, und er sieht ein Stück von ihrer bunten Sommerbluse und das Ende von ihrem blonden Zopf. Der Rest ist irgendwie unter Noah verschwunden, der sich merkwürdig bewegt und etwas mit den Händen macht, als wollte er Mama immer tiefer in die Couch drücken. Als Luna losbrüllt, dreht sich Noah um. Er schaut die Kinder an, sein Mund steht offen, als wollte er etwas rufen, aber da ist Henning schon weggerannt. Dieses Mal wartet er nicht auf Luna, auch wenn sie schreit wie am Spieß. Er muss Papa holen, er weiß, wo er Papa findet, er soll ihn eigentlich nicht stören, Papa wird wütend, wenn man ihn stört, aber auch darauf kann Henning jetzt keine Rücksicht nehmen. Papa muss Mama retten. Henning rennt, so schnell ihn seine Beine tragen, und schon im Rennen fängt er an zu weinen. Papa sitzt in einem Liegestuhl an der Gartenmauer, zwischen den Fingern eine seiner selbstgemachten Zigaretten, die dick sind und komisch riechen, und sieht aus, als schliefe er. Henning zieht an seinem Arm, die Zigarette fällt zu Boden, Papa ruft: »Bist du verrückt geworden?«, und Henning: »Mama! Noah! Du musst kommen!«, und Papa packt ihn an den Schultern und schaut ihm von ganz nah ins Gesicht und sagt: »Beruhige dich! Was ist passiert?«, aber Henning weiß nicht, was passiert ist, er will einfach nur, dass Papa kommt, er reißt sich los und läuft voraus, und jetzt ist Papa endlich auf den Beinen und folgt ihm um die vielen blühenden Büsche herum.

Sie sind auf dem Weg zur Hintertür, als vorne am Haupteingang das Holztor geöffnet wird. Papa kehrt um, Henning folgt ihm, und sie sehen beide, wie Noah mit großen Schritten über die Terrasse läuft, in einem Satz über die Brüstung in den Garten springt, der Kies explodiert unter seinen Füßen. Er rennt zwischen den Palmen hindurch zum Vorplatz, wo sein Auto steht.

Erst will Papa ihm folgen, aber dann hören sie Lunas Geschrei aus dem Haus, hysterisch, als wäre etwas Furchtbares passiert. Zum ersten Mal im Leben sieht Henning, dass Papa Angst bekommt. Er sieht es an seinem Gesicht, den Augen, die schwärzer sind als sonst, und der Art, wie er ruckartig den Kopf dreht. Papas Angst ist schlimmer als seine eigene. Henning ist vor ihm am Holztor, gemeinsam betreten sie den Salon.

Was sie sehen, ist schockierend normal. Mama hat Luna auf dem Arm, geht mit ihr im Saal hin und her und macht »Sch-sch«, während Luna schwitzt und schreit, das kleine Gesicht rot verquollen, die Hände zu Fäusten geballt. Mamas Zopf ist ein bisschen unordentlich, der Rock hängt wieder normal über die Knie. Sie trägt Riemchensandalen und ihre Sommerbluse und sagt: »Nur hingefallen. Gleich wieder gut.«

Henning weiß, dass Luna nicht hingefallen ist. Sie weint wegen dem, was Noah mit Mama gemacht hat. Schließlich haben sie Noah weglaufen sehen. Henning schaut hoch zu Papa und will ihm erklären, dass alles anders ist, dass er ihn nicht ohne Grund geholt hat, dass wirklich etwas Schreckliches passiert ist. Aber Papa sieht aus, als wüsste er das schon. Er starrt Mama an. Dann macht er kehrt und verschwindet. Sie hören den Motor des Mietwagens anspringen, sie hören das Knirschen der Reifen und wie sich der Wagen mit heulendem Motor die Schotterstraße hinunterkämpft. In der folgenden Stille hören sie das Gu-guck, Gu-guck eines Wiedehopfs. Normalerweise läuft Mama immer gleich auf die Terrasse, um ihnen den Vogel mit den komischen Federn auf dem Kopf zu zeigen. Heute scheint sie ihn gar nicht zu hören. Luna hört auf zu weinen und guckt Henning an, als sei das alles ein Spiel und sie wüsste gerade nicht, wie es weitergehen soll. Plötzlich wird Mama wieder lebendig und sagt, dass sie jetzt Mittagessen machen. Henning glaubt nicht, dass es Zeit fürs Mittagessen ist, aber er ist froh, dass etwas passiert. Der Tag setzt sich wieder in Gang wie ein festgerostetes Rad, das einen Tritt bekommen hat. Hüpfend läuft Henning voraus in die Küche und singt dabei »Wir haben Hunger, Hunger, Hunger«, was Mama normalerweise zum Lachen bringt.

Aber jetzt ist sie ganz still, während sie Tortilla macht. Henning und Luna sind auch still, viel braver als sonst, sie streiten nicht, machen keinen Quatsch, und Mama sagt kein einziges Mal, dass sie doch bitte etwas leiser sein sollen. Ein wunderbarer Geruch breitet sich in der Küche aus, nach Familie und Sicherheit. Sie essen nicht auf der Terrasse, sondern gleich in der Küche. Luna sitzt auf Mamas Schoß. Kein Wort wird gesprochen. Mama fragt nicht, was die Kinder im Garten gespielt haben. Es kommt öfter vor, dass Papa beim Essen nicht dabei ist, aber nun fehlt er auf eine merkwürdige Weise.

Der Rest des Tags vergeht wie ein normaler Tag, und doch merken Henning und Luna genau, dass etwas nicht stimmt. Sie finden kein Spiel, das sie gemeinsam spielen können, und als Luna vor Wut mit beiden Fäusten in das Schneckenmuseum schlägt und alles zerstört, rennt Henning heulend zu Mama und klammert sich verzweifelt an ihre Beine. Anschließend lungern die Kinder in der Küche herum, beobachten Mama bei ihren kleinen Verrichtungen, folgen ihr ins Bad, durch den Saal, ins Elternschlafzimmer, auf die Terrasse, bis sie wütend wird und schreit, die Kinder sollen sie endlich in Ruhe lassen. Als Henning sagt, dass Luna die Windel voll hat, macht Mama ein genervtes Geräusch, als wäre Wickeln das Schlimmste auf der Welt.

Henning holt ein paar Bücher, die sie aus Deutschland mitgebracht haben, und setzt sich auf die Terrasse in den Schatten. Luna kommt zu ihm, sie blättern gemeinsam die zerlesenen Seiten um, und Luna jauchzt vor Begeisterung, wenn sie auf etwas zeigen darf. »Wo ist die Katze?«

»Daaa!«

So vergeht die Zeit.

Sie hören einen Motor, sie sehen den Mietwagen, Papa steigt aus. Sie laufen ihm entgegen, werfen sich in seine Arme, und er hebt sie hoch und drückt sie an sich, ganz fest, er küsst sie aufs Haar, wiegt sie hin und her und wirbelt dann jeden ein paar Mal im Kreis, was sie besonders lieben.

Ihm voraus laufen sie zum Haus, »Mama, Papa ist wieder da!«, aber Mama kommt nicht auf die Terrasse, sie ist irgendwo drinnen, also gehen sie gemeinsam hinein, und als sie in der Küche ankommen, sieht Mama aus, als hätte sie geweint. Die Eltern sagen nicht »Hallo«, sondern sehen sich schweigend an und schicken die Kinder aus dem Raum.

Henning und Luna gehen auf die Terrasse. Mama und Papa schreien, aber man kann nicht verstehen, was sie sagen. Die Bücher haben jeden Zauber verloren, es sind nur alte Seiten, an denen Luna überall Ecken abgerissen hat. Irgendwann werden sie zum Abendessen gerufen. Es gibt nur Weißbrot mit Fleischwurst und ein paar hart gekochte Eier. Henning bekommt kaum etwas hinunter, gesprochen wird nicht. Gäbe es eine Uhr in der Küche, würde man sie die ganze Zeit ticken hören.

Gleich nach dem Essen bringt Mama sie ins Bett, obwohl sie nicht müde sind. Sie sitzt auf der Bettkante und schaut auf Henning und Luna herab. Henning hält ihre Hand und will sie nicht fortlassen, sie soll die ganze Nacht dort sitzen bleiben. Er bettelt um eine Gute-Nacht-Geschichte, aber Mama sagt, sie sei nicht in Stimmung. Sie sagt, sie sollen sich keine Sorgen machen. Mit Papa würde alles wieder in Ordnung kommen. Auch bei Erwachsenen passieren manchmal dumme Sachen, aber das Wichtigste ist, dass man sich wieder verträgt. Dazu nickt Henning heftig. Wenn er Streit hat mit Mama oder Luna, läuft ein Riss durch seinen Körper, der so sehr schmerzt, dass er es kaum aushalten kann. Wenn sie sich wieder vertragen, schließt sich der Riss, und ein warmes Gefühl erfüllt ihn von Kopf bis Fuß. Das erzählt er Mama, und sie küsst sein ganzes Gesicht. Sie küsst auch Luna viele Male und sagt, dass alles gut wird.

Trotzdem können sie beide lange nicht einschlafen. Henning traut sich nicht, zu Mama und Papa zu gehen, obwohl kein Geschrei mehr zu hören ist. Sie holen die bemalten Steine ins Bett, Luna ist der Tausendfüßler, Henning der Skarabäus, und die beiden Insekten gehen über die Bettdecke spazieren, streiten und vertragen sich, retten einander aus Löchern, in denen Monster hausen, bis Luna eingeschlafen ist.

Am nächsten Morgen sind Mama und Papa weg.

Henning steht auf, während Luna noch schläft. Er läuft durch die Gänge, die im Morgenlicht wieder auf ihre normale Länge geschrumpft sind, und durch den sonnendurchfluteten Saal. Wie meistens um diese Zeit steht das Holztor offen, damit kühle Luft hereinkommt. Henning läuft weiter in die Küche, wo es morgens immer süß und ein bisschen bitter nach Kaffee riecht, und wo Mama am Spülstein steht, Teller wäscht oder Sachen fürs Frühstück auf ein Tablett stellt.

Aber in der Küche ist niemand, es riecht nach nichts. Dann sind die Eltern eben auf der Terrasse. Henning läuft zurück durch den Saal, seine nackten Füße machen patschende Geräusche auf den kalten Fliesen. Durch das Holztor tritt er ins Freie, wo es sehr warm ist und er vor Helligkeit nichts sieht. An der Balustrade entlang geht er über die Terrasse, die an einer Seite von einer Wand gegen den Wind und von einem Holzdach gegen die Sonne geschützt ist. Dort steht ein großer gemauerter Tisch mit gemauerten Bänken, wo sie normalerweise ihr Frühstück essen.

Der Tisch ist leer. Mama und Papa sind nicht zu sehen.

Henning hört den Wiedehopf. Er hört den Wind in den Palmen, ein Geräusch wie Regen auf einem Zeltdach. Er spürt den Boden unter seinen Füßen, die ersten Steinchen des Tages, die sich in die Fußsohlen drücken. Vielleicht schlafen die Eltern noch. Manchmal wacht Henning zu früh auf. Im Sommer ist es dann zwar schon hell, aber die Welt wirkt noch wie ausgestorben. Heute glaubt er das eigentlich nicht. An der

Farbe des Lichts kann er ungefähr erkennen, wie spät es ist. Er schaut sich Himmel, Sonne und Garten an. Das ist nicht mehr Schlafenszeit, es sind Frühstücksfarben. Trotzdem macht er sich auf den Weg zum Elternschlafzimmer, das sich an der rechten Seite des Saals befindet, in einem Teil, den Papa »Westflügel« nennt. Noch ein Flur, mehr Türen, noch ein Bad. Henning will nur gucken, nicht stören, nicht zu Mama ins Bett kriechen, wie er es manchmal tut, wenn er schlecht geträumt hat, leise, leise, um Papa nicht zu wecken. Die Schlafzimmertür ist angelehnt. Henning schiebt den Kopf durch den Spalt. Das Zimmer ist hell, die Vorhänge sind nicht zugezogen, das Bett ist ordentlich gemacht. Henning ist erleichtert, sie sind also schon aufgestanden, bestimmt sind sie gerade im Bad, da darf man sie nicht stören.

Er geht in die Küche, setzt sich allein an den großen Holztisch und wartet. Vor ihm liegen ein paar runde schwarze Steine, einer mit bunten Punkten in grün und rot, man sieht noch nicht, was es werden soll. Verschiedene Pinsel ordentlich nebeneinander auf einem Stück Küchenpapier. Ein halbvolles Glas, in dem das Wasser eine undefinierbare Farbe angenommen hat. Die bekleckste Palette, verschiedene Tuben. Henning mag den Geruch der Farben. Er weiß, dass er nichts anfassen darf, vergräbt aber trotzdem die Nase in einem bunt verschmierten Tuch. Es riecht ein bisschen schwindelig und nach Mama.

Als er nicht länger sitzen kann, läuft er wieder durchs Haus. Nichts ist zu hören, keine Dusche, kein Zähneputzen, kein Rasierapparat, auch nicht Papas lautes Schnauben, wenn er sich morgens die Nase putzt. Henning geht ins Kinderschlafzimmer, wo Luna auf dem Rücken liegt, beide Beine in der Luft, strampelnd, vor sich hin redend. Sie hat ihren Tausendfüßler in der Hand und lässt ihn durch die Luft hüpfen. Als sie Henning sieht, sagt sie »Hallo«. Mitten im Zimmer bleibt Henning stehen. Luna sieht aus wie immer. Alles sieht aus wie immer. Trotzdem weiß er nicht, was er jetzt tun soll. Normalerweise würde er Luna an der Hand nehmen und mit ihr auf die Terrasse gehen, wo Papa sie auf seinen Schoß heben würde. Henning würde neben Mama auf die Sitzbank klettern, und sie würden mit dem Frühstück beginnen. Wenn Henning ans Frühstück denkt, knurrt sein Magen, er hat wirklich Hunger.

Er legt sich zu Luna, sie spielen eine Weile mit ihren Steinen, bis Luna das Gesicht verzieht und »Essen!« sagt. Ihr Hunger meldet sich immer plötzlich und mit Macht. Wenn sie dann nicht schnell etwas bekommt, kann sie ungeheuer wütend werden.

Beim Aus-dem-Bett-Krabbeln hilft er ihr, damit sie nicht stürzt. Sie rennt voraus durch den Flur, durch den Saal und durch die Holztür ins Freie, sie kennt den Weg genauso gut wie er, ihre Füße machen das gleiche patschige Geräusch. Als sie so vor ihm läuft, ist Henning sicher, dass Mama und Papa auf der Terrasse sitzen, dass alles normal ist, dass sie »Da seid ihr ja endlich!« rufen werden, wenn die Kinder um die Ecke biegen.

Die Terrasse ist leer.

»Wo Mama? Wo Papa?«, fragt Luna.

»Weiß ich nicht«, sagt Henning. Er fühlt sich, als müsste er gleich weinen.

Zielstrebig rennt Luna zurück ins Haus, Henning

folgt langsamer, in der Küche holt er sie ein. Wieder fragt sie nach Mama, und Henning sagt, dass Mama gleich wiederkommt.

Jetzt fällt ihm auf, was er vorhin übersehen hat. Es liegen Sachen auf dem Boden. Ein zerbrochenes Glas in einer roten Pfütze, es ist Wein, das riecht er. Die Reste vom Abendessen stehen neben der Spüle, Milch und Käse sind nicht in den Kühlschrank geräumt. Auch im Elternschlafzimmer lagen Sachen herum, der Schrank stand offen, ein paar Kleidungsstücke auf dem Boden. Mama legt großen Wert aufs Aufräumen. Wenn die Kinder ihre Spielsachen herumliegen lassen, gibt es Ärger.

»Nicht da reintreten«, sagt Henning und zeigt auf die Scherben, und weil Luna ihn nicht versteht, nimmt er sie bei der Hand und führt sie bis zur Pfütze. »Da, aua! Aua!«, sagt er und zeigt wieder auf die Scherben.

»Aua, aua«, wiederholt Luna und zeigt ebenfalls auf die Pfütze am Boden.

Plötzlich hält der Tag an. Henning tupft einen Zeh in den Wein und zeichnet Kreise auf den Boden. Die Sonne scheint durchs Fenster, ein Rudel Spatzen tschilpt in einer Palme. Es ist, als würde sich nie wieder etwas ändern, als gäbe es nie wieder etwas zu tun. Als Luna ihm das mit dem Zeh und dem Wein nachmachen will, ruft Henning: »Nein«, und der Tag gerät wieder in Gang. Er führt Luna aus der Küche.

»Wir suchen Mama«, sagt er.

Ihm ist eine Idee gekommen. Vielleicht haben die Kinder so lang geschlafen, dass die Eltern mit dem Frühstück schon fertig sind. Mama geht spazieren und Papa sitzt auf seinem Stuhl an der Gartenmauer mit einer seiner extradicken Zigaretten. Auf der Terrasse zieht sich Henning die Schuhe an. Eigentlich soll er nicht im Schlafanzug draußen herumlaufen, aber er denkt, heute kann er eine Ausnahme machen. Dafür gibt es ein anderes Problem. Luna will sich nicht beim Anziehen der Schuhe helfen lassen. Wenn er einen ihrer Schuhe in die Hand nimmt, schreit sie »Meins!« und reißt ihm den Schuh weg.

»Du musst ihn anziehen«, sagt Henning. »Wir gehen Mama suchen. Kies aua am Fuß.«

Luna bockt. Sie rangeln eine Weile, bis Henning aufgibt.

»Dann lauf doch barfuß«, sagt er.

Luna jubelt und watschelt hinter ihm her. Als sie die kleine Treppe geschafft hat und den ersten Fuß auf den Kies setzt, verzieht sie das Gesicht.

»Aua!«, sagt sie.

»Siehste«, sagt Henning. »Sag ich doch.«

Luna lässt sich am Fuß der Treppe auf die Knie sinken und verschränkt die Arme. Das bedeutet, sie wird sich keinen Zentimeter mehr weiterbewegen.

»Ist mir egal«, sagt Henning. »Ich geh Mama suchen.«

Kaum dass er sich von ihr entfernt, fängt sie an zu schreien. Henning geht weiter. Sie schreit lauter. Nach zehn Schritten weint und brüllt sie aus vollem Hals. Ihr Gesicht ist rot, die Tränen laufen in Strömen, ihr Mund ist groß und schief verzogen. Der Anblick ist für Henning wie schlimmes Bauchweh, wie wenn man gleich spucken muss. Er geht zurück, kniet sich vor sie und nimmt sie in die Arme. Ihre Traurigkeit ist so groß wie das Weltall. Er wiegt sie hin und her und würde selbst gern weinen, aber das geht nicht, solange er Luna hält.

»Sch, sch«, sagt er, so wie Mama es immer macht. »Sch, sch.«

Nachdem sie eine Weile so gekauert haben, hat Henning eine neue Idee.

»Warte hier!«, ruft er und springt auf. Luna hört sofort auf zu weinen und lächelt ihn an. Sie hat verstanden. Henning holt etwas, sie soll warten. Meistens passiert dann etwas Aufregendes, ein neues Spiel, irgendeine Entdeckung.

Henning läuft über die Terrasse ins Haus. Es tut gut, einen Plan zu haben. Es tut gut zu laufen! Er kehrt mit einem Paar von Lunas Socken zurück, er hat die dicksten ausgesucht, die er finden konnte. Gemeinsam schaffen sie es, ihr die Socken über die Füße zu ziehen. Damit kann Luna auf dem Kies gehen. Sie kiekst vor Begeisterung und läuft voraus in den Garten.

Während Luna läuft, zählt sie »zwei, drei, vier« und »sieben, acht, neun« und ruft dann »Komme!«, wie sie es beim Verstecken gelernt hat. Sie glaubt, es sei ein Spiel, und vielleicht ist es das ja auch. Henning zählt einfach mit, von eins bis zehn, ruft »Eckstein, Eckstein« und »Ich komme!«, und so laufen sie durch den ganzen Garten, finden Papas Stuhl, »Hier kein Papa«, sagt Luna, finden die Stelle, wo Mama manchmal über die Mauer ins Tal schaut, gehen sogar an der Spinnenwand vorbei und über die Betonfläche, unter der tief in der Wasserhöhle das Monster haust. Henning versucht, das Brett auf dem Loch nicht anzusehen. Als ob es sich jederzeit heben könnte. Er weiß nicht, was dann herausschauen würde.

Nachdem sie den ganzen Garten umrundet haben, hört Luna auf zu zählen und beginnt zu jammern. Henning will weitermachen, er ruft lauter, »sieben, acht, neun« und »Ich komme!«, nimmt Luna an der Hand und versucht, sie zum Laufen zu ermuntern. Er will nicht hinaus aus dem Spiel. Wenn das Spiel endet, gibt es ein Ergebnis, das er nicht erträgt. Das Ergebnis lautet, dass sie weder Mama noch Papa gefunden haben.

Die Sonne brennt. Luna kann nicht mehr. Sie entzieht ihm ihre Hand, nörgelt vor sich hin.

»Ist gut,« sagt Henning. »Wir gehen ins Haus. Bestimmt ist Mama inzwischen wieder drin.«

»Ja!«, ruft Luna und rennt wieder los, mit neuer Kraft.

Als sie die Treppe erreichen, die zur Terrasse führt, entdeckt Henning etwas: Das Auto ist weg. Die Gartenmauer ist an dieser Stelle niedrig und hat ein Tor, das immer offen steht. Dahinter liegt der Vorplatz, auf dem sie das Auto parken und von dem aus die Schotterstraße ins Tal hinunterläuft, voller Steine und Schlaglöcher, so dass das Auto beim Hinunterfahren die Schnauze hebt und senkt wie ein Schiff auf hoher See. Dann kreischen Henning und Luna auf der Rückbank, in einer Mischung aus Begeisterung und Angst.

Um ganz sicherzugehen, läuft Henning durch das Gartentörchen auf den Vorplatz und schaut sich um. Wie immer springt ihn die Aussicht an, die Berge, die eigentlich zu groß sind, um gesehen zu werden. Aber er sieht sie, blassbraun und schwarz, darüber der dunkelblaue Himmel. An manchen Stellen haben die Berge riesige Treppenstufen, anderswo sieht es aus, als würden große Würmer auf ihnen herumkriechen. An einem der Hänge entdeckt er ein Gewimmel von braun-schwarzen Punkten, das ist eine Ziegenherde beim Abweiden der dürren Kräuter. Die weißen Flecken ringsherum sind Perlreiher, das hat Mama erklärt, manchmal reiten sie sogar auf den Rücken der Ziegen. Unten im Tal liegt das Dorf winzig klein und schickt trotzdem alle Geräusche laut herauf, Hämmern, Hundegebell, Autolärm und manchmal Kindergeschrei. Der Vorplatz ist ganz sicher leer.

»Guck mal, Luna!«, ruft Henning. »Das Auto ist weg!«

Sie kommt ihm hinterher. Voller Übermut fasst er ihre Hände und dreht sich einmal mit ihr im Kreis.

»Auto ist weg, Au-to ist weg«, singt er dazu auf die Melodie von »Der Hahn ist tot«. Luna versteht nichts, freut sich aber, dass er mit ihr tanzt.

»Mama und Papa sind in Femés«, erklärt Henning. »Sie holen Croissants zum Frühstück!«

»Früühstüüück!«, jubelt Luna. Sie lacht und läuft los Richtung Haus, und jetzt merkt auch Henning wieder, wie hungrig er ist.

In der Küche beschließen sie, Mama und Papa zu überraschen und schon mal den Frühstückstisch zu decken. Erst aufräumen. Ganz vorsichtig nimmt Henning die Scherben des zerbrochenen Glases vom Boden und wirft sie in die Mülltonne. Er versucht auch, den Wein aufzuwischen, und erschrickt, als sich das Küchentuch rot verfärbt. Hoffentlich wird Mama nicht sauer. Aber meistens bleibt sie freundlich, wenn sie weiß, dass er nur helfen wollte. Henning öffnet die Schublade mit dem Besteck, er findet alles auf Anhieb. Luna liebt es, den Tisch zu decken. Er gibt ihr einen kleinen Löffel, und schon rennt sie los, durch Flur und Saal und Holztür auf die Terrasse, wo sie den Löffel auf den gemauerten Tisch legt. Dann kommt sie zurück, er hört ihre Schritte auf den Fliesen und wie sie hinfällt, weil es rutschig ist auf Socken. Sie holt den nächsten Löffel und rennt wieder los, trägt jedes Teil einzeln und ist ganz bei der Sache. Henning zählt Teller ab, kontrolliert noch einmal mit den Fingern, Mama, Papa, Luna, beinahe hätte er sich selbst vergessen, vier Stück, der Stapel ist ziemlich schwer. An die Brotdose kommt er auch auf Zehenspitzen nicht heran, dazu braucht er einen Stuhl. Mama mag es nicht, wenn sie in der Küche herumklettern, aber Henning denkt, dass er auch dabei heute eine Ausnahme machen kann. Er findet ein Croissant vom Vortag und ein halbes Baguette, das will er mitnehmen, falls die Croissants, die Mama und Papa gerade in Femés holen, nicht reichen sollten; außerdem sagt Mama immer, dass auch das alte Brot gegessen werden muss. Aus dem Schrank nimmt er Butter und Marmelade, zieht das Tablett von der Anrichte, legt es auf den Boden und stellt alles darauf. Es ist zu schwer zum Tragen. Luna kommt, sieht das Baguette und greift sofort zu. Er will es ihr wegnehmen, »es gibt gleich Frühstück, du musst warten«, aber sie kreischt in den höchsten Tönen, beißt in das Brot und läuft davon, als Henning es zurückhaben will.

»Du bist so bescheuert! Wir wollen doch den Tisch decken!«

Ganz leicht kann er sie einfangen, er ist viel schneller als sie. Das Brot will sie auf keinen Fall hergeben, es ist ihr ernst. Sie umklammert es mit beiden Armen, schreit und strampelt und schafft es trotzdem, immer wieder in das Brot zu beißen. Als Henning daran zerrt, reißt es durch, und Luna fällt auf den Hintern. Sie bleibt einfach sitzen und isst weiter.

»Du bist so bescheuert.«

Henning weint. Mama hasst es, wenn sie vor einer Mahlzeit schon naschen. Er hat das Gefühl, wenn sie es nicht schaffen, das Frühstück vorzubereiten, wird es auch kein Frühstück geben. Dann kommen Mama und Papa nicht zurück.

Trotzdem lässt er sich neben Luna auf dem Boden nieder und verschlingt das abgerissene Stück Baguette. Er hat solchen Hunger. Vielleicht müssen sie es Mama nicht erzählen, vielleicht wird sie es gar nicht merken. Das Brot schmeckt salzig von seinen Tränen. Luna sieht glücklich aus, während sie isst. Als sie merkt, wie stark er weint, kommt sie auf allen vieren näher gekrochen, richtet sich auf und schaut ihm aus großen Augen direkt ins Gesicht.

»Du bist so bescheuert«, schluchzt Henning.

Sie reicht ihm ihr Stück Baguette, aber er schüttelt den Kopf und schlägt ihre Hand weg. Sie essen schweigend. Lunas Windel riecht; darum wird sich Mama kümmern, sobald sie zurück ist.

Als sie aufgegessen haben, sind die Tränen versiegt, und Henning fühlt sich ein wenig besser. Im Grunde ist ja gar nichts passiert. Sie haben das Brot genommen, aber sie decken trotzdem den Tisch. Gleich kommen Papa und Mama. Luna hilft, die restlichen Sachen auf die Terrasse zu tragen, geht dabei neben ihm und fragt immer wieder, ob es ihm besser geht, und er antwortet: »Ja, ja, wieder gut«, viele Male, weil Luna nicht lockerlässt.

Der Frühstückstisch sieht nicht ganz so aus, wie wenn Mama ihn herrichtet, aber Henning ist dennoch stolz auf sein Werk. Er überlegt, ein paar Blumen als Schmuck zu holen, traut sich aber nicht, ohne Erlaubnis etwas von den blühenden Büschen abzureißen. Sie setzen sich schon mal auf ihre Plätze und warten.

Luna spielt mit dem Besteck und schlägt einen Löffel auf die Steinplatte des Tischs. Ansonsten ist es still. Sie sehen eine Katze auf der Gartenmauer entlangschleichen, Henning zeigt darauf, und Luna ruft: »Eine Tatze! Eine Tatze!«

Nach einer Weile sagt Henning: »Komm, wir gucken mal, ob man das Auto schon sieht.«

Luna rennt voraus, die kleine Treppe hinunter, so schnell, dass Henning einen Moment glaubt, sie würde stürzen, durch den Garten und bis auf den Vorplatz.

Die Berge schweigen. Der Himmel schweigt. Die Schotterstraße schlängelt sich ins Tal. Von unten Hammerschläge und Hundegebell.

Luna fragt nach Mama und Papa. Henning sagt: »Sie kommen gleich.«

Sie gehen zurück auf die Terrasse. Sie warten am gedeckten Frühstückstisch. Sie laufen wieder auf den Vorplatz, dann warten sie wieder. Die Sonne steht hoch am Himmel. Der Wiedehopf kommt vorbei und ruft »Gu-guck, gu-guck«. Hin und wieder sieht Henning ein Flugzeug, ziemlich niedrig, gleich wird es auf der Insel landen. Er versucht sich vorzustellen, dass in diesen Flugzeugen Menschen sitzen, Familien, die aus dem Fenster gucken, mit Buntstiften malen, etwas essen, so wie sie es auf dem Hinflug getan haben. Es scheint ihm unmöglich. Auch die Geräusche aus Femés scheinen ihm unmöglich, die winzigen Autos, die unten auf dem gewundenen Band der Straße entlanggleiten.

Bevor sie nach Lanzarote geflogen sind, waren sie einige Male mit Mama in der Stadt, auf dem Weihnachtsmarkt, Maronen essen, danach Geschenke kaufen. In den Schaufenstern der Kaufhäuser waren ganze Landschaften aus Spielzeug aufgebaut. Modelleisenbahnen, die durch Wälder, Felder und Dörfer fuhren. Eine Lego-Baustelle, auf der sich alle Fahrzeuge bewegten. Ein Feuerwehreinsatz mit Playmobilmännchen, die Schläuche hoben und Pumpen bedienten. Man konnte nichts anfassen, nicht mitspielen. Nur zuschauen. Alles lief im Kreis, egal, ob Henning und Luna da waren oder nicht. Keins der Männchen wandte den Kopf, um sie anzusehen. So kommt ihm die Welt vor: ein Ort, an dem sich Dinge hinter einer Glasscheibe bewegen.

Sie sitzen auf der Terrasse. Irgendwann beginnt Luna zu wimmern.

»Mami?«

»Mami kommt gleich.«

»Mami?«

»Sie kommt gleich!«

Luna hört nicht mehr auf. Sie kniet auf der Bank, hat den Kopf auf die kühle Platte des Steintischs gelegt, spielt mit den Fingern am Rand eines unbenutzten Tellers und wimmert immer weiter. Mami, Mami. Für Henning ist ihr Weinen ein Schwert, das in ihn hineinfährt und sich bewegt und die Wunde immer größer macht. Der Schmerz wächst, bis er schreien muss, »Sei endlich still!«, und da fängt Luna auch an zu schreien, »Duu-aaah, Duu-aaah«. Henning versteht nicht, was sie sagt, ist aber erleichtert, dass es nicht mehr »Mami« ist. Sofort ist seine Wut verraucht. Ganz nah kommt er zu ihr, streichelt ihren Rücken und fragt: »Was ist los? Was möchtest du?«, so wie Mama fragen würde. Normalerweise umarmt er Luna nicht gern, sie ist immer voller Sabber oder Rotze und bewegt sich ruckartig, wobei sie Henning Stöße gegen Kopf oder Brust versetzt. Jetzt versucht er, die Arme um sie zu legen, aber sie schubst ihn weg und schreit noch einmal »Duu-aaah«, als hätte er ihr etwas weggenommen.

»Hast du Durst?«

»Jaaa!«, heult Luna.

Das ist es! Henning merkt, wie seine eigene Kehle brennt. Sie haben Durst. Der Durst ist das Problem.

»Komm, schnell! In die Küche!«, ruft er.

Sie laufen ins Haus, Luna ist glücklich, weil sie gleich etwas zu trinken bekommt, Henning ist glücklich, weil sie aufgehört hat zu jammern.

Die Karaffe steht auf der Anrichte. Henning holt den Stuhl. Eine weitere Ausnahme ist jetzt erlaubt. Als er auf dem Stuhl steht, hat er das Glas vergessen, klettert noch mal herunter, ist nicht sicher, wo die Gläser stehen, entdeckt sie schließlich auf einem Regalbrett an der Wand; das ist zu hoch, das sieht er gleich, das braucht er gar nicht erst zu versuchen. Der Schreck packt ihn und schüttelt ihn. Ohne Glas kein Wasser. Ohne Wasser geht der Durst nicht weg.

»Wir brauchen ein Glas, Luna.«

»Glas, Glas, Glas!« Sie hüpft auf und nieder und zeigt auf etwas, und es dauert ein bisschen, bis er begreift, dass sie auf die Spüle deutet, wo Geschirr auf dem Abtropfgitter steht, darunter vier Gläser.

»Ach, Luna! Du bist so klug!«

Er ist stolz auf sie, er umarmt sie richtig, wenn auch nur kurz, sie trampelt vor Freude, weil sie etwas richtig gemacht hat. Manchmal sagt Papa zu ihm, dass er klug ist, wenn sie über das Weltall sprechen und Henning den Unterschied zwischen Sternen und Planeten kennt und erklären kann, was eine Galaxie ist. Er verschiebt den Stuhl, klettert hinauf, holt ein Glas, verschiebt den Stuhl erneut, stellt das Glas neben die Karaffe, klettert auf den Stuhl, hebt die Karaffe mit beiden Händen. Sie ist schwer und nass, außen mit Wasserperlen besetzt, sie rutscht Henning aus der Hand, fällt auf die Anrichte, verspritzt Wasser, rutscht von der Anrichte auf den Boden, mit enormem Getöse, dreht sich um sich selbst, immer mehr Wasser, bis sie in einer Pfütze zu liegen kommt. Luna und Henning stehen starr vor Schreck. Wenn Mama und Papa das gehört haben! Das gibt riesigen Ärger.

Der Lärm verhallt, das Haus schweigt. Henning fällt ein, dass Mama und Papa gar nicht da sind. Sie können nichts gehört haben. Für einen kurzen Augenblick ist er froh darüber.

»Nicht so schlimm«, sagt er zu Luna. »Nichts kaputt.«

Luna spricht es ihm nach.

»Wir müssen aufwischen«, sagt Henning.

Er hebt die leere Karaffe auf und stellt sie auf den Tisch. Was er braucht, ist ein Tuch. Das Küchenhandtuch ist noch rot und nass vom Wein; Henning weiß nicht, wo die frischen sind. Ein Handtuch aus dem Badezimmer zu holen traut er sich nicht. Wahllos zieht er Schubladen auf, geht in die Vorratskammer, öffnet Schränke, guckt in die Regale. Während er sucht, beginnt Luna wieder zu wimmern, »Duu-aah«, »Duu-aah«. Aber Henning muss aufwischen. Er hat etwas verschüttet, das muss wiedergutgemacht werden, sonst guckt Papa ihn an und sagt: »Was ist denn das?«, mit dieser komischen Stimme, die Henning nicht leiden kann. Henning ist ein großer Junge, ein guter Bruder, ein vernünftiges Kind. Wenn er die Pfütze nicht wegwischt, werden Mama und Papa nicht zurückkommen. Seine Beine sind nass, fast fühlt es sich an, als hätte er eingepullert. Er schaut an sich herunter und sieht, dass er noch im Schlafanzug ist. Luna auch. Sie müssen sich anziehen, sie dürfen nicht den ganzen Tag in Schlafsachen herumlaufen, wenn sie sich nicht anziehen, kommen Mama und Papa bestimmt nicht zurück. Luna hat angefangen, mit Strumpffüßen im Wasser herumzupatschen, er schreit sie an: »Luna, lass das!«, da rutscht sie aus, »Siehste!«, schreit Henning, aber Luna brüllt noch viel lauter, sie hört ihn gar nicht, sie hat sich am Ellenbogen wehgetan. Weil sie nicht aufstehen will, zieht er sie am Arm über den Boden, ihre Socken sind durchweicht, der Schlafanzug auch, das Wasser verteilt sich in der Küche, er zieht immer weiter an der brüllenden Luna, bis in den Flur, wo sie endlich aufsteht, ihm die Hand reicht und ihm heulend folgt.

Unter dem Bett im Kinderzimmer liegt ein großer Koffer, in dem ihre Sachen sind. »Euer Schrank«, sagt Mama im Spaß, wenn sie ihn hervorzieht. Luna will sofort alles herausholen, aber Henning kann es verhindern. Er findet Shorts und ein T-Shirt für sich und ein Kleidchen für Luna, auch frische Socken, er legt alles aufs Bett, es sieht gut aus, genau richtig und ordentlich. Schnell zieht er seinen Schlafanzug aus und die richtigen Sachen an, das geht ohne Probleme, er braucht schon lange keine Hilfe mehr. Luna schaut ihn an. Henning sagt sich, dass er auch weiß, wie das bei Luna geht. Er hat hundert Mal gesehen, wie Mama es macht. Er sagt: »Arme hoch!«, und Luna hebt brav die Arme. Mit etwas Geziehe und Gezerre schafft er es, ihr das Schlafanzugoberteil auszuziehen. Er sagt: »Hinsetzen!«, und Luna setzt sie hin und streckt ihm die Beinchen entgegen, so dass er an der Schlafanzughose ziehen kann. Auch die nassen Socken kriegt er von den Füßen. Dann riecht er es.

»Hast du Kaka gemacht?«

Luna schüttelt den Kopf. Wenn sie den Kopf schüttelt, ist die Windel voll.

»Das macht Mama, wenn sie kommt, ok?«

Luna beginnt, an ihrer Windel herumzuziehen, die eine Seite ist schon offen, »Halt, halt«, ruft Henning und bringt sie dazu, sich auf den Rücken zu legen. Er zerrt an den Klebeverschlüssen, bis die Windel offen ist. Da sieht er die Bescherung. Luna hat gemacht, und zwar ziemlich weich. Es klebt an ihrem Po, an ihren Beinen, sogar am Rücken.

Luna streckt die Hände von sich, wie Mama es ihr beigebracht hat. Henning kniet vor ihr, reglos. Er weiß nicht, was er tun soll. Er weiß es absolut nicht. Das ist schlimmer als die Wasserpfütze, viel schlimmer. Feuchttücher, er braucht Feuchttücher. Die sind im Bad.

»Warte hier, ja? Nicht aufstehen! Warten!«

Er rennt, so schnell er kann, es kommt ihm vor, als sei er nur eine Sekunde weg gewesen, aber Luna ist trotzdem aufgestanden. Die Windel ist auf den Boden gefallen, mit der vollen Seite nach unten. Als Henning zu heulen beginnt, setzt Luna sich hin. Die Kacke ist überall, es stinkt bestialisch, und als Henning versucht, sie wegzuwischen, verteilt er alles nur, statt es zu entfernen. Vor lauter Tränen sieht er kaum etwas. Schließlich hört er auf zu wischen und heult nur noch. Auch Luna hat sich Feuchttücher genommen und wischt in der Kacke herum. Sie weint nicht, sie ist ganz still. Henning weint, bis er nicht mehr kann. Man hört das Brummen eines Flugzeugs, ganz weit weg. Das Rascheln der Palmen vor dem Fenster. Vom Wiedehopf keinen Ton.

So still ist es, dass Hennings Gedanken zu wandern beginnen. Er sieht Noah auf Mama. Dann kam Papa, und Noah ist weggelaufen. Später ist Papa weggefahren und wiedergekommen. Hat Noah etwas gestohlen? Ist Papa losgefahren, um ihn zu suchen?

Mama ging es gut. Ihr war nichts passiert.

Sind sie jetzt beide weg, um Jagd auf Noah zu machen?

Nein, denkt Henning. Noah ist kein Dieb. Er hat Luna und ihn in der Schubkarre herumgeschoben, so etwas machen Diebe nicht.

Henning merkt, wie froh er ist, dass das Auto weg ist. Denn das bedeutet: Mama und Papa sind im Auto. Das ist gut, auch wenn er nicht weiß, wo das Auto ist. Plötzlich fällt ihm etwas ein.

»Luna«, sagt er, »sie haben sich verirrt!« Er muss lachen. »Mama sagt doch immer, dass sie den Weg nicht findet, weißt du? Sie sagt, dass sie keinen Ortssinn hat.«

»Oooh-sinn?«

»Sie sagt, wenn sie ein Vogel wäre, würde sie ihr eigenes Nest nicht finden.« Er lacht wieder. Er mag es, wenn Mama so über sich redet. »Papa hat sie bestimmt fahren lassen, beim Croissant-Holen. Und dann haben sie sich verirrt. Jetzt finden sie das Haus nicht mehr. Aber irgendwann fährt Papa, und der kennt den Weg nach Hause.«

»Papa?«

»Später«, sagt Henning. »Sie kommen etwas später. Wir müssen einfach nur warten.«

»Luna wartet«, sagt Luna, und es klingt so vernünftig, dass er sie am liebsten noch einmal umarmen würde, wenn sie nur nicht so dreckig wäre. Er läuft ins Bad und holt das größte Handtuch, das er finden kann. Zurück im Kinderzimmer, führt er Luna ein Stück zur Seite und legt das Handtuch auf den Boden, über die schmutzigen Feuchttücher, die braunen Flecken und Striemen, deckt alles ab und zieht das Handtuch glatt, so gut er kann. Es sieht okay aus, auch der Geruch ist eigentlich gar nicht so schlimm. Wenn Mama und Papa wiederkommen, werden sie es nicht gleich sehen, und er kann erklären, was passiert ist. Er putzt Lunas Beine mit noch mehr Feuchttüchern, wischt sich die Finger sauber und zieht ihr das Kleidchen über den Kopf. Jetzt sieht Luna wieder normal aus. Die dreckigen Tücher schiebt er unter das Handtuch. Man darf sie nicht ins Klo werfen, ganz wichtig, Mama hat das immer wieder gesagt. Es gibt sonst Verstopfung. Henning glaubt, dass in Wahrheit das Monster im Keller keine Feuchttücher mag. Es wird wütend, wenn man so etwas zu ihm hinunterwirft.

»Duu-aah«, sagt Luna.

Wasser. Das hat er ganz vergessen. Sie laufen zurück in die Küche, und Henning ist stolz auf Lunas Kleidchen, darauf, dass sie beide angezogen sind. Die Pfütze am Boden ist viel kleiner, als er gedacht hat, und man sieht auch schon, dass sie von selbst trocknet. Eine weitere Erleichterung. Fast ist es so, als hätte die Kaka-Bescherung im Kinderschlafzimmer gar nicht stattgefunden. Mama und Papa werden zurückkommen.

Die Karaffe ist leer. Der Kanister, in dem das Trinkwasser aus dem Supermarkt geholt wird, ist viel zu schwer. Im Spaß hat Papa ihn versuchen lassen, den Kanister zu heben; daher weiß Henning, dass er es nicht kann.

»Duu-aah«, sagt Luna und deutet auf den Wasserhahn an der Spüle. Henning kann ihn öffnen. Er kann zum Beispiel auf einen Stuhl klettern und sich allein die Hände waschen, mit Seife und allem. Er könnte eine Tasse unter dem Wasserhahn füllen. Aber das geht nicht. Man darf das Wasser nicht trinken, auch das hat Mama viele Male gesagt, vor allem zu Luna, wenn sie in der Badewanne sitzt und Teestunde spielt. Dabei spricht sie die ganze Zeit mit sich selbst, schöpft Wasser mit einem kleinen Plastikbecher und trinkt davon. Mama hat es verboten.

»Hier nicht«, hat sie gesagt. »Das Wasser hier ist nicht wie zu Hause. Wenn man es trinkt, wird man krank.«

Henning weiß natürlich, warum. Unter dem Haus sitzt das Monster im Wasser und pinkelt hinein. Monster-Pisse ist giftig. Man kann davon sterben.

Aber man stirbt auch, wenn man nichts trinkt. Das sagt Mama immer, wenn er krank ist und nichts trinken will, weil der Hals so wehtut.

»Es ist in Ordnung, wenn du nichts isst, aber du musst trinken. Viel trinken. Wenn man nichts trinkt, stirbt man.«

Henning schaut Luna an. Sie weint wieder, zeigt auf den Wasserhahn und hält sich den Hals. Auch Hennings Kehle schmerzt. Er stellt sich vor, dass Luna gleich sterben wird, weil sie kein Wasser bekommen hat. Wie sie am Boden liegt und sich in einen Haufen Stoff verwandelt, so wie die toten Katzen am Straßenrand. Er fühlt gar nichts dabei. Er denkt, dass sie dann wenigstens nicht mehr wimmern und heulen würde. Aber wenn Mama und Papa die tote Luna auf den Fliesen sehen, werden sie gleich wieder wegfahren. Oder gar nicht erst zurückkommen.

Plötzlich hat Henning einen genialen Gedanken. Er hat oft geniale Gedanken, das sagt auch Papa manchmal zu ihm.

»Warte!«, ruft er und läuft den weiten Weg ins Elternschlafzimmer. Dort steht manchmal ein Wasserglas auf dem Nachttisch, neben den Päckchen mit Mamas

Tabletten, die er auf keinen Fall anfassen darf. Und er hat Glück. Das Wasserglas ist halbvoll. Mit beiden Händen trägt er es, geht langsam, balanciert das Glas mit aller Vorsicht, um keinen Tropfen zu verschütten. Er reicht es Luna, die es ihm aus den Händen reißt.

»Langsam, langsam«, sagt er, aber sie trinkt schon, gierig, in großen Schlucken.

»Ich will auch was«, sagt Henning. »Wir teilen.«

Aber Luna hört nicht auf zu trinken, sie lässt das Glas nicht los. Als Henning es ihr wegnehmen will, rollt es über den Boden, und der letzte Rest fließt heraus. Die Ungerechtigkeit reißt ein Loch in Henning, es tut schrecklich weh. Durch dieses Loch kommt das Böse heraus. Es nimmt Hennings Hände und schlägt damit nach Luna.

»Das war unser Wasser! Ich wollte auch!«

Die Hände packen Luna und schubsen sie so heftig, dass sie rückwärtstaumelt und auf den Boden schlägt. Kaum liegt sie da und weint, schließt sich das Loch. Das Böse ist weg. Henning kniet neben Luna und streichelt ihren Rücken.

»Ist nicht so schlimm. Ich hatte gar nicht solchen Durst.«

Weil er weiß, dass er sie ohnehin nicht beruhigen kann, lässt er sie liegen. Bei Luna muss man manchmal einfach warten, das sagt Mama auch. Außerdem ist ihm gerade der nächste geniale Gedanke gekommen. Der Kühlschrank! Er hat noch gar nicht an den Kühlschrank gedacht. Der Kühlschrank ist tabu, sagt Papa. Wenn sie etwas brauchen, können sie fragen. Aber das ist wieder eine Ausnahme. Henning sieht es vor sich:

Mama wird Papa erklären, dass es ums Trinken ging. Dass Luna das Wasserglas einfach ausgetrunken hat und Henning auch etwas brauchte. Papa nickt: Okay, das hat er verstanden.

Henning packt den Griff mit beiden Händen und zieht. Er muss den ganzen Körper nach hinten werfen, bis sich die Tür mit einem schmatzenden Geräusch öffnet. Da steht eine angebrochene Packung Orangensaft. Davon bekommen sie immer nur ein Glas, sonntags, zum Frühstück. Der Saft ist teuer. Henning dreht den Verschluss ab, greift die Packung mit beiden Händen und trinkt daraus. Ohne Glas, ohne Hemmung. Es macht glücklich, den Saft zu trinken. Er strömt wie Licht durch die Kehle. Henning trinkt immer weiter, und als Luna herankommt, gibt er ihr die Packung, ohne Streit, und sie trinkt den Rest.

»Lecker«, sagt sie, und sie lachen.

Gemeinsam knien sie vor dem Kühlschrank. Da ist eine offene Dose mit schwarzen Oliven, die Henning sehr mag und Luna gar nicht. Ein paar Nektarinen, die schnell faulen, wenn man sie nicht im Kühlschrank aufbewahrt. Schinken, Käse, Tomaten. Noch mehr Gemüse, und sogar eine Tafel Schokolade.

Danach greift Luna sofort. Henning hält sie nicht zurück. Sie schiebt sich Schokolade in den Mund, bis ihr brauner Sabber übers Kinn läuft. Henning nimmt sich nur ein Stück und greift dann zum Schinken. Ohne Teller, ohne Brot. Stopft alles in sich hinein, es ist wie ein Fest, wie Geburtstag oder Weihnachten, wenn andere Regeln gelten, wenn man Geschenke bekommt und abends lange aufbleiben darf. Sie lachen beim

Essen, und als sie so voll sind, dass nichts mehr reingeht, nimmt Henning Luna bei der Hand, denkt gerade noch daran, den Kühlschrank zu schließen, und läuft mit ihr in den Saal, wo sie auf die Couch klettern und Trampolin springen, bis die bunte Decke am Boden liegt und sie total außer Atem sind. Sie rennen ins Elternzimmer und hüpfen auf dem Doppelbett. Luna öffnet den Schrank und holt Mamas Schuhe heraus, die sie so liebt, die weißen mit den Glitzerperlen und die roten mit den hohen Absätzen. Sie schiebt ihre kleinen Füße hinein und stakst damit herum, während Henning Papas Unterhosen in die Luft wirft, eine nach der anderen. »Guck mal, Vögel«, ruft er, während eine leise Stimme ihm sagt, dass das alles verboten ist und es nicht zu ihm passt, sich so aufzuführen, aber statt auf die Stimme zu hören, benutzt er zusammengerollte Socken als Wurfgeschosse, spielt Katapult, tschschiiiuu, tschschiiiuu, Luna lacht sich halbtot, als ein Paar Socken die Deckenlampe trifft, die heftig zu schwingen beginnt, während Henning »Ups!« sagt. Er zerrt Papas Schuhe heraus und schleudert sie aufs Bett, legt sich eins seiner Unterhemden auf den Kopf, tut so, als würde ihn eine Jeans mit ihren Beinen erwürgen wie eine Schlange. Luna lacht. Sie holen Mamas Kleider von den Bügeln, ein Meer aus Blumen, Kringeln, bunten Streifen, das sich am Boden ausbreitet. Sie werfen Mamas Unterwäsche durchs Zimmer, auch die BHs, und obwohl es Henning schmerzt, was sie da tun, machen sie einfach weiter.

Dann ist der Spaß vorbei. Das Lachen verschwindet und lässt sich nicht wieder holen, Henning versucht es noch ein, zwei Mal, aber es klingt angestrengt und falsch in seinen Ohren. Die plötzliche Stille ist wie ein Urteil. Wie wenn Mama schweigt statt zu schimpfen, und das Schweigen noch schlimmer ist. Sie liegen auf dem Bett, Henning hat die Augen geschlossen, damit er nicht sehen muss, was sie angerichtet haben. In Hennings Kopf sind keine richtigen Gedanken mehr. Alles geht in Bildern durcheinander. Er sieht Noahs Rücken und Papas Schnurrbart. Er sieht den Garten und den Wiedehopf und die Ausstellungsstücke des Schneckenmuseums. Obwohl er die Augen geschlossen hält, sieht er die Unordnung im Zimmer, Lunas Kacke und die Reste ihrer Mahlzeit, vor dem Kühlschrank verstreut. Er sieht Mamas liebes Gesicht, die schönen langen Haare und wie sie lächelt, wenn sie sich zu ihm herunterbeugt. Er weiß jetzt, dass sie nicht zurückkommen wird. Niemals.

Henning redet mit dem Weltall. Er verspricht dem Weltall, alles zu tun, wenn es ihm nur die Eltern wiederbringt. Er wird immer brav sein und nie wieder Luna ärgern. Er wird sein Zimmer aufräumen und beim Einsteigen ins Auto nicht trödeln und nach dem Essen kein zweites Eis verlangen. Er stellt sich vor, wie Mama und Papa durch den Garten gelaufen kommen und rufen: »Entschuldigung, mein Schatz, dass wir so lange weg waren«, und: »Wie gut du auf deine Schwester aufgepasst hast! Was für ein großer Junge du bist!«, und Papa wird Luna in die Luft werfen, und Luna wird jauchzen vor Glück.

Er will aufstehen, er will wieder mit dem Warten beginnen. Wenn er nicht wartet, kommen Mama und Papa nicht zurück. Mühsam richtet er sich auf und sieht, dass Luna eingeschlafen ist. Für ein paar Augenblicke gerät er in Panik, Luna liegt da wie tot, Henning ist wach und allein. Er spürt, dass er ohne sie nicht sein kann. Ohne Luna hört alles auf. Wenn sie so daliegt und sich nicht bewegt, hat Henning keine Ahnung, was er als Nächstes tun soll.

Gerade will er sie wecken, da fällt ihm ein Wort ein: Mittagsschlaf! Natürlich, das ist der Mittagsschlaf. Das machen sie jeden Tag. Mama besteht darauf, auch wenn die Kinder sich wehren. Meistens schläft Luna dann doch ziemlich schnell ein, Henning hingegen nicht, er macht schon lange keinen richtigen Mittagsschlaf mehr. Deshalb darf er sich ein paar Bücher mit aufs Zimmer nehmen, mit denen er im Bett liegt und sich Bilder anguckt, bis Mama kommt und ihn aus der quälenden Langeweile erlöst.

Luna macht Mittagsschlaf, das ist sehr gut. Mama wird begeistert sein, weil Henning an den Mittagsschlaf gedacht hat! Und wie schnell er sie ins Bett gekriegt hat. Ganz ohne Theater. Während sie schläft, passt er auf sie auf. Er lässt sich neben sie sinken, rückt nah an sie heran und vergräbt seine Nase in ihren Haaren. Der Geruch füllt ihm den Kopf. Luna riecht süß wie ein Stück Kuchen. Henning rutscht noch ein Stück näher, bis er die Wärme ihres kleinen, kräftigen Körpers spürt, er flüstert: »Süße Maus!«, wie Mama es manchmal tut, und plötzlich ist alles in Ordnung, sie liegen in einer Kugel aus Wärme und Duft, in der sie sicher sind. Henning glaubt, die entfernten Stimmen der Eltern zu hören, wie sie sich hinter dicken Mauern im Saal unterhalten, und er schläft ein.

Er erwacht mit einem Schlag, als hätte ihn jemand angefasst oder in die Hände geklatscht, und findet sich nicht zurecht. Das Zimmer ist ihm fremd, die Farbe der Wände, der Lichteinfall. Die schlafende Luna sieht er erst nicht, dafür die Unordnung im ganzen Raum, als wäre etwas explodiert. Er weiß nur: Er ist allein an einem unbekannten Ort, und etwas Schreckliches ist passiert.

Mit einem Satz springt er vom Bett, will zur Tür heraus; da erkennt er, dass es Mamas und Papas Sachen sind, die am Boden liegen, und sein Entsetzen wächst. Im nächsten Augenblick sieht er Luna, schlafend in ihrem Kleidchen auf dem Bett, und seine Angst wandelt sich in Erleichterung: Mittagsschlaf! Mama und Papa waren weg, aber während des Mittagsschlafs sind sie zurückgekommen. Henning hat auch geschlafen, das ist schon lange nicht mehr passiert, das muss er unbedingt Mama erzählen, sie wird staunen, sie freut sich, wenn die Kinder schlafen und essen. Gegessen haben sie auch, fällt Henning ein, wenn auch ein bisschen anders als sonst.

Schon ist er den halben Flur hinuntergerannt, als ihm einfällt, dass er Luna nicht allein lassen kann; wenn sie aufwacht und allein ist, wird sie in Panik geraten; also geht er sie wecken. Während er sie mit beiden Händen an der Schulter rüttelt, sieht er, dass das Betttuch unter ihr feucht ist. Im Schlaf hat sie gepinkelt, mitten in Mamas Bett. Er hat ihr keine Windel angezogen für den Mittagsschlaf. Ein dicker Kloß würgt Henning im Hals, aber er zwingt sich, ihn hinunterzuschlucken, er zieht die verschlafene Luna vom Bett und legt ein Kissen über das Pipi. Sie laufen los.

Das ganze Haus suchen sie ab. Danach den Garten. Erst am Ende fällt Henning das Auto ein. Er hätte auch gleich danach gucken können. Es ist nicht da. Mama und Papa sind noch nicht gekommen.

Die Zeit bleibt stehen. Der Tag schmilzt in der Hitze. Rings um Henning breitet sich die Zeit wie eine Fläche aus, auf der man in jede beliebige Richtung gehen könnte und doch nirgendwohin käme. Luna liegt auf der Terrasse am Boden, den Kopf auf einen Arm gebettet. Ihre freie Hand spielt mit zwei schwarzen Steinchen, schiebt sie auf dem Fliesenmuster hin und her. Das wirkt seltsam, so kennt Henning seine Schwester gar nicht. Wenn er zu ihr geht und sie anstupst, macht sie unwillige Geräusche. Nichts regt sich im Garten, kein Vogel tschilpt, kein Windhauch geht, selbst die Palmen haben das Rascheln eingestellt. Ab und zu geht Henning auf den Vorplatz und sieht hinunter ins Tal. Dort unten fahren die Autos auf dem gewundenen Band, aber keines kommt zu ihnen hinauf.

Auf dem Weg in die Küche, wo er nach etwas zu trinken suchen will, entdeckt Henning mehrere Pfützen und ein Häufchen von Luna im Salon. Mit leerem Kopf starrt er darauf, eine lange Weile, bis sich sein Körper in Bewegung setzt und im Bad eine Packung Feuchttücher holt. Über jede Bescherung legt Henning ein Feuchttuch, das sieht besser aus, als wären überall im Raum weiße Vögel gelandet, mit ausgebreiteten Flügeln.

Der Saft ist alle. Im Kühlschrank findet er noch eine halbe Packung Milch, trinkt davon und bringt Luna den Rest, aber sie richtet sich nicht auf, schüttelt nur im Liegen den Kopf. Er stellt die Packung neben sie und wartet. Weil sein Durst so groß ist, trinkt er den Rest irgendwann selbst. Jetzt, wo Saft und Milch alle sind, müssen Papa und Mama wirklich zurückkommen.

Und sie kommen. Die Stille verändert sich, sie wird dicker, auch Luna hebt endlich den Kopf. Ein Brummen ist zu hören, es schwillt an, wird lauter, kein Flugzeug, das ist ein Auto.

»Autooo?«, sagt Luna

»Das sind sie!«, ruft Henning.

»Mamaaa!«, schreit Luna, während sie über die Terrasse zur Treppe laufen, »Mamaaa!«, als könnte Mama sie schon hören, und vielleicht kann sie das ja auch. Vom Vorplatz aus sehen sie den Wagen. Er ist noch ein ganzes Stück entfernt, kriecht langsam die Schotterpiste hinauf, die Motorhaube hebt und senkt sich, manchmal hört Henning das Durchdrehen der Reifen im Kies, ein irgendwie aufregendes Geräusch. Das Auto sieht ähnlich aus wie ihr Mietwagen, hat aber eine andere Farbe. Blau statt weiß. Luna scheint das nicht zu stören, sie hüpft vor Begeisterung, ruft »Mama, Mama, Mama«, wobei sie ihre kurzen Ärmchen durch die Luft schwenkt. Da begreift es auch Henning: Der andere Wagen war kaputt! Sie hatten eine Panne und mussten sich ein neues Auto besorgen, deshalb hat es so lange gedauert! Jetzt hüpft und winkt auch er, ruft: »Hallo, hallo!«, und ist glücklich wie nie. Nur kurz denkt er an das Chaos im Haus und schiebt den Gedanken gleich wieder beiseite.

Die Windschutzscheibe des Wagens spiegelt, das Sonnenlicht fällt direkt darauf. Henning und Luna treten zur Seite, als das Auto auf den Vorplatz rollt. Jetzt kann man durch die Scheiben gucken, aber was Henning sieht, versteht er nicht. Es sitzen vier Personen im Auto, hinten zwei Kinder, die ebenfalls winken und lachen, vorne ein Mann am Steuer und eine Frau auf dem Beifahrersitz. Alle haben schwarze Haare. Der Mann beugt sich durch das offene Fenster in der Fahrertür und sagt etwas, das wie eine Frage klingt. Henning und Luna weichen ein Stück zurück. Der Mann wiederholt die Frage, er sieht freundlich aus, lächelt, sagt noch etwas, dann schüttelt er den Kopf und redet mit seiner Frau, die eine Landkarte auf dem Schoß hält. Henning und Luna starren ihn an, sie verstehen kein einziges Wort. Der Mann sagt noch etwas zu ihnen, lacht, zeigt auf das Haus und hebt einen Daumen, als wollte er sagen: »Schönes Haus!«, dann dreht er das Lenkrad und setzt zurück, er will wenden, Henning nimmt Luna bei der Hand und zieht sie aus dem Weg. Die Kinder auf der Rückbank winken ihnen zu. Das Auto fährt den Berg wieder hinunter. Henning und Luna sehen zu, wie es immer kleiner wird, bis es ganz unten die Schotterpiste verlässt und zwischen den Spielzeughäusern des Spielzeugdorfs verschwindet. Es ist sehr still.

»Das waren nicht Mama und Papa«, sagt Henning. »Aber die kommen auch gleich.«

Als Henning das sagt, hat er das schlimme Gefühl zu lügen. Es meldet sich der Gedanke, dass niemand kommen wird. Die Insel hatte nur ein Auto, um es zu ihnen heraufzuschicken, und sie hat das falsche geschickt. Das war's.

Er überlegt, ob Mama und Papa tot sein könnten. Mit dem Tod kennt Henning sich aus; er weiß viel über Dinosaurier, wie sie ausgestorben sind und warum. Er hat schon viele tote Tiere gesehen. Erst vor ein paar Tagen haben sie im Garten das Skelett eines Kaninchens gefunden, leuchtend weiß, blank geputzt von der Sonne, mit Augenhöhlen und Zähnen und allen vier Beinen. Henning ist darüber in Begeisterung geraten wie ein Schatzsucher über einen besonders wertvollen Fund, er hat die Knochen vorsichtig in die Hand genommen und zu Papa getragen, und Papa hat ihm erklärt, wie sie heißen, Schädel, Rippen, Wirbelsäule.

Gerade als Fachmann weiß Henning, dass der Tod etwas für Dinosaurier ist, für plattgefahrene Eidechsen auf der Straße und für Vögel, die gegen eine Fensterscheibe geflogen sind und dann auf dem Rücken liegen und ihre dürren Füße in die Höhe strecken. Aber nicht für Eltern. Tote Eltern gibt es nicht. Eltern müssen sich um Kinder kümmern, sie können nicht einfach sterben. Vielleicht mussten Mama und Papa ganz plötzlich zurück nach Deutschland, oder sie haben sich andere Kinder gesucht, weil Luna wirklich oft nervt und Henning vieles noch nicht so hinkriegt, wie er soll. Aber gestorben sind sie mit Sicherheit nicht.

Luna weint, nicht wütend, sondern leise. Ganz brav geht sie an Hennings Hand und weint dabei, und Henning spürt, dass er keine Ahnung hat, wie es weitergehen soll. Dieses Nicht-Wissen ist das größte Ding, das ihm je begegnet ist, größer als die Berge, die Sonne und der Himmel, es ist ein schwarzes Nichts und so groß wie das Weltall selbst.

Der Tag fließt beharrlich in die Breite. Es ist unmöglich, etwas zu spielen. Sie lungern auf der Terrasse herum, und Henning sieht, wie sich die Farbe des Lichts zu ändern beginnt. Einmal läuft er ins Elternschlafzimmer, um auf Papas Wecker zu kontrollieren, ob sich die Zeiger noch bewegen. Erleichtert stellt er fest, dass der dünne rote wie immer seine Runden dreht.

Als Luna wieder mit ihrem Mami-Mami-Gewinsel anfängt, schreit Henning sie an, dass sie aufhören soll. In der Küche schiebt er einen Stuhl in die Speisekammer und klettert hinauf, um das Regalbrett zu erreichen, auf dem eine weitere Packung Orangensaft steht. Er holt sie herunter, aber es gelingt ihm nicht, den Verschluss aufzudrehen. Er arbeitet mit ganzer Kraft, bis die Finger schmerzen, und heult dabei vor Wut. Schließlich nimmt er eine Schere aus der Schublade. Scheren sind auch tabu, aber inzwischen ist Henning das beinahe egal. Mit der Schere sticht er auf den Orangensaft ein, als wollte er ein Tier schlachten. Endlich entsteht ein Schlitz und die gelbe Flüssigkeit quillt heraus. Henning presst die Lippen darauf und saugt, aber weil die Öffnung ziemlich groß ist und er gleichzeitig mit Luna kämpft, die wirklich großen Durst hat, fließt eine Menge auf den Boden. Sie knien am Boden wie Tiere, Lunas schrilles Kreischen erfüllt den Raum. Die Packung platzt, den herausgeflossenen Saft lecken sie vom Boden. Henning versucht nicht einmal, die Reste aufzuwischen. Das Haus sieht ohnehin aus wie ein Schlachtfeld, da kommt es auf den Orangensaft auch nicht mehr an. Henning hat sogar aufgehört, Feuchttücher über Lunas Pfützen zu legen. Einmal ist er in ein Häufchen getreten und ausgerutscht, die braunen Schmierer ziehen sich wie Bremsspuren über den Boden. Henning hat sich die Socken ausgezogen und die Füße in der Toilette gewaschen. Es hat ihm nichts ausgemacht. Auch den Gestank bemerkt er fast gar nicht mehr.

Am schrecklichsten ist, dass Henning nicht weiß, wann es Zeit ist, ins Bett zu gehen. Noch einmal studiert er Papas Wecker. Er kennt die Zahlen, er weiß auch, dass es darum geht, welcher Zeiger wohin weist, und dass sie normalerweise um acht ins Bett gebracht werden. Aber der Wecker will damit nichts zu tun haben. Ein Zeiger deutet auf die neun, ein anderer auf die vier, der rote dreht sich gleichgültig im Kreis. Im Sommer ist es beim Zu-Bett-Gehen noch hell, weshalb die Sonne auch keine Hilfe ist. Wenn Henning sich vorstellt, dass die Nacht sie hier auf der Terrasse überrascht, packt ihn kalte Angst. Vielleicht treibt sich das Monster aus dem Wassertank bei Nacht draußen herum. Mama und Papa bestehen darauf, dass er und Luna pünktlich im Bett liegen. Er muss dafür sorgen. Aber ist es dieser Moment oder der nächste? Müde fühlt er sich nicht, und auch Luna hat noch kein einziges Mal gegähnt. Sie sitzt am Boden und spielt mit Steinchen und wirkt ganz zufrieden. Wenn Henning sie ansieht, weiß er nicht, was er fühlt. Er ist froh, dass sie da ist. Gleichzeitig hasst er sie, weil sie so viel weint und so wenig weiß und weil ihr jederzeit etwas zustoßen kann.

Als er die Unsicherheit nicht länger aushält, klatscht er zwei Mal in die Hände und ruft: »So, und jetzt ab ins Bett!«

Zu seiner großen Überraschung rappelt sich Luna auf und läuft voraus ins Bad, als hätte sie nur darauf gewartet, dass Henning »ab ins Bett« sagt. Er klettert auf den Hocker, holt die Zahnbürsten aus dem Becher, schraubt die Tube auf und drückt Zahnpasta heraus, viel zu viel, aber das macht nichts, die überflüssige Crème streicht er ins Waschbecken. Ohne Widerstand beginnt Luna, sich die Zähne zu putzen; mit Mama gibt es dabei immer viel mehr Theater. Henning lobt sie, so viel er kann, »gut, Luna, toll machst du das, ganz brav«, nimmt ihr die Zahnbürste ab und denkt sogar daran, sie auszuwaschen. Luna streckt die Arme über den Kopf, damit er ihr das Kleidchen ausziehen kann. Als sie nackt vor ihm steht, sieht er, wie dreckig sie ist. Am liebsten würde er einfach ein großes Tuch auf sie legen, aber er macht weiter mit seinem Gerede, »guck mal, so geht das aber nicht, da müssen wir dich ein bisschen sauber kriegen«, und Luna legt sich auf den Boden, wie sie es an guten Tagen macht, wenn Mama sie wickeln will, und lässt sich mit Feuchttüchern die Beine abwischen. Das meiste ist angetrocknet, aber Henning gibt nicht auf, schrubbt und rubbelt, bis Lunas Haut ganz rot ist. Er sucht und findet die Schlafanzüge und hilft Luna beim Anziehen, »fein machst du das, noch mal die Arme hoch, Achtung, Kopf«, und während alles wunderbar klappt, macht sich große Erleichterung in ihm breit. Vor dem Ins-Bett-Gehen hatte er wahnsinnige Angst, und jetzt ist es gar kein Problem. Kurz darauf liegt Luna in ihrem gemeinsamen Bett unter der Decke und sieht aus wie immer, wenn sie schlafen geht. Sie sagt: »Vorleseeen?«, auch wie immer. Henning läuft noch einmal durchs Haus, um das Buch zu suchen. Die Sonne scheint noch, wie gestern und vorgestern, als sie ins Bett gingen, und Henning findet, das Licht vor den Fenstern hat genau die richtige Farbe. Neben der Couch im Saal findet er »Pony, Bär und Apfelbaum«, ihr gemeinsames Lieblingsbuch, aus dem Mama schon so oft vorgelesen hat, dass Henning jeden Satz auswendig kann. Er setzt sich neben Luna ins Bett, sie kuschelt sich an ihn, und er tut so, als würde er vorlesen, zeigt auf die Bilder und spricht den Text. »Das ist ein Baum. Ein Baum und ein Baum und noch ein Baum sind ein Wald.« Luna freut sich über alle Wörter, die sie kennt. »Im Wald ist eine Wiese, auf der Wiese steht ein Haus, hinter dem Haus steht ein Apfelbaum.« Luna deutet auf die Bilder und sagt: »Baum«, »Haus« und »Apfel«. »Dort lebte einmal ein Pony«, sagt Henning. Er liest das ganze Buch. Er liest es noch einmal, als Luna schon eingeschlafen ist. Dann sagt er zu sich selbst: »Jetzt ist es aber genug, jetzt wird geschlafen«, legt das Buch auf den Boden und rutscht unter die dünne Decke. Ganz nah rückt er an Luna heran, schiebt die Nase in ihre Haare.

Aber dann passiert es. Das Haus fängt an, sich zu verändern. Die Flure werden länger, die Mauern dicker. Die Zimmer tauschen die Plätze. Das Dach senkt sich herab, als wollte es die Kinder erdrücken, dann wieder steigt es hoch in den Himmel. Das Mauerwerk ächzt und stöhnt, die Lampe verwandelt sich in den Schnabel eines großen Vogels, der nach Henning pickt. Jetzt weiß er, dass er keine Angst hatte vor dem Ins-Bett-Gehen, sondern vor dem Im-Bett-Sein. Noch nie waren sie nachts allein, immer waren Mama und Papa da und haben aufgepasst, dass das Haus seine Spiele nicht zu wild treibt und kein Monster hereinkommt. An das

Monster darf Henning nicht denken, sonst wird ihm übel. Nicht daran, wie das viereckige Loch im Boden aussieht, in das sie hinuntergeblickt haben, gleich draußen vor dem Haus, in die totale Dunkelheit mit spiegelnder Schwärze am Grund. Er versteht, warum die Frau an der Wand rote Tränen weint. Sie wusste von Anfang an, was passieren würde.

Das Zimmer wird immer dunkler. Henning kennt das; öfter schon hat er der Dunkelheit zugesehen, wenn er nicht schlafen konnte. In den Ecken wachsen Schatten. Alles bekommt ein anderes Gesicht. Hennings Augen schmerzen vor Anstrengung, weil er sie so fest zukneift. Mit aller Macht versucht er, nicht an das Monster zu denken. Normalerweise würde er jetzt zu Mama laufen und sagen: »Mein Gehirn zittert«, und sie würde ihn in die Arme nehmen, während er ein bisschen weinte, und er würde an ihr riechen und mit ihren Haaren spielen, und sie würde »sch-sch« machen, obwohl sie genervt wäre, weil sie abends eigentlich ihre Ruhe will.

Aber Mama ist weg, da kann das Gehirn zittern, so viel es will. Ob es den Kopf vielleicht mit seinem Zittern auseinanderbricht? Vor allem darf er Luna nicht ansehen. Sie liegt neben ihm, schläft mit offenem Mund und schnarcht leise dabei, aber wenn er sie länger ansieht, verwandelt sich ihr süßes, friedliches Gesicht in eine schreckliche Fratze mit aufgerissenem Maul und spitzen Zähnen, und Henning presst schnell die Augen zu, sein Herz schlägt wie eine Trommel, während die Frau an der Wand schon längst nicht mehr nach oben schaut, sondern ihn direkt ansieht, direkt in ihn hinein.

Henning denkt, dass Mama und Papa weg sind, weil

er auf die Ritzen zwischen den Fliesen getreten ist. Auf der Terrasse hat er manchmal »Nicht auf die Ritzen treten« gespielt und dabei zu sich selbst gesagt: »Wenn ich es nicht schaffe, auf die andere Seite zu kommen, ohne auf eine Ritze zu treten, wird etwas Schreckliches passieren.« Das war nur Spaß. Ein Spiel. Dachte er. Wie oft ist er danach achtlos über die Terrasse gerannt, wie viele Ritzen hat er dabei mit Füßen getreten!

Er würde gerne weinen, aber seine Tränen haben auch Angst und bleiben lieber in den Augen.

Als er aufwacht, weiß er sofort, wo er sich befindet und was passiert ist. Er kennt die Lage bis in alle Einzelheiten. Heute wird er nicht durchs Haus rennen, um Mama und Papa zu suchen. Sie sind weg, sie kommen nicht zurück, und Henning trägt irgendwie Schuld daran. In seinen Fäusten findet er die beiden Steine, Skarabäus und Tausendfüßler, er muss sie vor dem Einschlafen ins Bett geholt und die ganze Nacht nicht mehr losgelassen haben.

Beim Aufstehen sieht er, dass Luna sich eingepinkelt hat. Der Schlafanzug ist dunkel verfärbt, und das Laken unter ihr zeigt einen großen Fleck. Ihn befällt schreckliche Wut. Wo sollen sie denn schlafen, wenn irgendwann alle Betten komplett vollgepinkelt sind? Henning kann kein Bett frisch beziehen, nein, das kann er nicht! Irgendwann kackt sie auch noch ins Bett, und dann? Was passiert dann?

Er rüttelt sie so heftig am Arm, dass sie mit einem Schrei erwacht.

»Du hast eingepinkelt!«, schreit er. »Das ist böse! Böse!«

Verständnislos sieht Luna ihn an, die großen Augen trüb vor Schläfrigkeit. Er packt sie an den Schultern und dreht sie so, dass sie den Fleck angucken muss.

»Da! Pipi! Böse!«

»Pipiii? Luna Pipiii?«

Ihr Gesicht verzieht sich, sie beginnt bitterlich zu weinen. Hennings Wut wächst.

»Heulen nützt gar nichts!«, brüllt er. »Vom Heulen geht das Pipi nicht weg!«

Er will den Fleck abdecken, vielleicht mit einem Handtuch. Weil Luna halb daraufsitzt, zerrt er an ihrem Arm, um sie herunterzuziehen. Sie wehrt sich nicht, sie sinkt in sich zusammen und weint. Mit beiden Händen schiebt er sie weiter Richtung Bettkante.

»Böse! Pipi böse!«

Ein letzter Schubs, und sie fällt aus dem Bett. Das Geräusch, mit dem sie auf den Boden schlägt, klingt furchterregend. Ein sattes Platschen, unmittelbar gefolgt von einem dumpfen Schlag, der Henning durch und durch geht. Das war der Kopf. Schlimmer als das Geräusch ist die anschließende Stille. Wie jeden Morgen sind die Vögel im Garten ziemlich laut. Der schnarrende Schrei des Neuntöters, der auf dem Rand der Mauer sitzt, eine Eidechse im Schnabel, die er seinen Jungen bringt. Das Gu-guck des Wiedehopfs. Die aufgeregt tschilpenden Spatzen, die in den Palmen nisten. Hoch oben kreisende Möwen, deren Schreie der Wind heranträgt. Mama hat ihnen die Vögel erklärt, sie freut sich, wenn sich die Kinder dafür interessieren. Doch was nutzt ihm sein Wissen über die Vögel? Nicht das Geringste. Überflüssig ist es, zu nichts zu gebrauchen.

Überhaupt wird alles nur schlimmer, wenn man Dinge weiß.

Henning weiß, man kann sterben, wenn man vom Bett fällt. Vor allem, wenn der Kopf auf den Boden schlägt. Hundert Mal hat Mama es ihm erklärt. Er soll Luna nicht schubsen, vor allem nicht im Bett oder auf der Treppe. Er weiß, der Kopf kann kaputtgehen und dann läuft alles raus und Luna ist tot.

Sie beginnt zu schreien. Die Stille explodiert, das Gebrüll ist ohrenbetäubend. Henning empfindet keine Erleichterung, er empfindet noch größere Wut. Er rennt ins Bad, sucht ein Handtuch, wirft dabei alles aus dem Schränkchen, Mamas Bürsten, Klorollen, Seifen, rennt mit dem Handtuch zurück, deckt den Fleck auf dem Bett ab und atmet tief durch. Ohne die schreiende Luna am Boden auch nur anzusehen, verlässt er das Zimmer, geht pinkeln und dann in die Küche. Er hat Hunger. Schrecklichen Hunger.

Es dauert nicht lange, bis sie nachkommt, verheult, der kleine Körper noch geschüttelt von verebbenden Schluchzern. Er erträgt es nicht, sie anzuschauen, vor allem die Beule auf ihrer Stirn. Mit ausgestreckten Ärmchen kommt sie auf ihn zu, will ihn umarmen, aber er wehrt sie ab.

»Geh weg. Du stinkst.«

Im Schrank entdeckt er ein Glas mit Würstchen, es steht hoch oben, damit Henning und Luna nicht herankommen. Er schiebt einen Stuhl in die Vorratskammer, legt einen umgedrehten Topf auf den Stuhl und klettert hinauf. Das Gebilde wackelt, vor allem, als sich Henning auf die Zehenspitzen stellt und die Arme reckt.

»Geh zur Seite!«, ruft er Luna zu, die ihn mit runden Augen beobachtet. Er fegt das Glas vom Regalbrett, es kracht auf die Fliesen und rollt zur Seite. Nicht kaputt.

»Scheiße«, ruft Henning, und Luna lacht. Kurz spürt Henning auch Lachlust im Bauch. »Scheiße« dürfen sie nicht sagen, Papa rastet aus, wenn er das hört, aber manchmal tun sie es trotzdem, flüsternd im Bett, und lachen sich halb kaputt dabei. Aber jetzt muss er das Glas aufkriegen. Dafür braucht er Ideen. Er stellt sich vor, er wäre ein Architekt. Die haben ständig gute Ideen. Er klettert auf den Küchentisch, hebt das Glas hoch über den Kopf und schmettert es mit ganzer Kraft auf den Boden. Es zerbricht, der Sud spritzt bis zu den Wänden, die Scherben klimpern über den Boden. Luna hat sich schon das erste Würstchen gepackt, bevor Henning vom Tisch heruntergeklettert ist. Sie schiebt es gleich halb in den Mund, würgt, kaut mit Mühe. Henning nimmt zwei Würste in jede Hand, und als Luna das sieht, grapscht sie nach der nächsten, erwischt noch eine dritte und läuft damit aus der Küche, wie ein Tier, das seine Beute in Sicherheit bringt. Henning stopft alles in sich hinein, bis er nicht mehr kann, am Boden kniend, fast vier Würste hat er geschafft. In einer Scherbe steht eine kleine Pfütze Sud, vorsichtig hebt Henning sie an die Lippen und schlürft die Flüssigkeit auf.

Als er nach Luna sehen will, ist sie nicht im Saal. Auf den Fliesen liegt ein Wurstzipfel; von ihr selbst keine Spur. Henning läuft zum Elternschlafzimmer, öffnet die Tür einen Spalt. Das Chaos ist noch da, Luna nicht.

Schließlich findet er sie im Bad vor dem Klo. Sie hat Deckel und Brille hochgeklappt und steckt ihr Ärmchen in die Schüssel. Mit krummen Fingern versucht sie, Wasser zu schöpfen, taucht die Hand ein, leckt sie ab.

»Nicht!«, schreit Henning. »Nicht aus der Toilette trinken!«

Er packt sie um die Körpermitte und zieht sie weg, sie heult nicht, macht keinen Mucks, aber kämpft verbissen. Trotzdem gelingt es ihm, sie aus dem Bad zu schleppen und zu Boden zu drücken.

»Giftig! Hat Mama gesagt! Wasser böse.«

»Wasser böse?«

»Da ist Monster-Pisse drin! Wir dürfen nur das Wasser aus den Kanistern nehmen.«

»Monster?«

»Ja. Monster-Wasser. Nicht aus dem Klo trinken. Böse.«

Als Luna sich beruhigt, erlaubt er, dass sie sich aufrichtet. Zum ersten Mal heute sieht er ihr richtig ins Gesicht. Ihre Augen sind gerötet, auf den Lippen liegt eine weiße, angetrocknete Schicht. Dazu die furchtbare Beule. Luna sieht krank aus, wie an den Tagen, wenn Mama ihr eine Hand auf die Stirn legt und am Abend ein Zäpfchen gibt. Henning weiß nicht, wie viel sie von dem Klowasser schon getrunken hat. Er hofft inständig, dass sie nicht stirbt. Er nimmt sich vor, netter zu ihr zu sein.

Natürlich hat auch Henning Durst. Gewaltigen Durst, unheimlichen Durst, es fühlt sich an, als säße ein kleines Tier mit stachliger Haut in seiner Kehle. Im Schrank sind keine Saftpackungen mehr. Auch keine

Milch. An das Trinkwasser in den Kanistern kommt Henning nicht dran, die Kanister sind zu schwer, die Verschlüsse kann er nicht öffnen, an den Wänden aus dickem Plastik rutscht die Schere ab. Er weiß nicht, woher sie Wasser bekommen sollen. Im Garten liegen die Schläuche, mit denen Noah die Büsche wässert, aber Henning hat keine Ahnung, ob er sie aufdrehen könnte, und erst recht nicht, ob man daraus trinken darf.

»Komm, kleine Maus«, sagt er zu Luna, genau in dem Tonfall, in dem Mama mit ihr spricht. »Wir haben was vor.«

Henning weiß jetzt, was sie tun. Er hat einen Entschluss gefasst. Sie gehen nach Femés, Mama und Papa suchen. Vielleicht haben sie die Schotterstraße nicht wiedergefunden, die auf den Berg hinaufführt, und irren durchs Dorf. Wenn Mama ihn mit dem Auto zum Kindergarten bringt, lässt sie ihn immer den Weg ansagen, hier links, geradeaus, da vorne rechts. Er irrt sich nie.

»Wenn ich dich nicht hätte«, sagt Mama dann. »Ich würde gar nicht mehr nach Hause finden.« Mama braucht seine Hilfe, er wird sie aufspüren und ihr den Weg zeigen. Auf dem Weg zur Terrasse geht Luna brav an seiner Hand.

»Wir brauchen Schuhe«, sagt Henning.

Er hat an alles gedacht. Auf der Schotterstraße kann man weder barfuß laufen noch auf Strümpfen. Weil er an Lunas festen Halbschuhen gescheitert ist, wird er ihr Hausschuhe anziehen, die mit der festen Sohle. Sie haben einen Klettverschluss, das müsste zu schaffen sein.

Tatsächlich ist es überhaupt kein Problem. Luna setzt sich auf den Boden und streckt ihm die Füße hin, er stülpt die Schuhe darüber, schließt den Klett.

»Wir gehen Mama suchen. Nach Femés.«

»Femeees?«

»Ins Dorf. Wir gehen sie holen.«

Während Henning seine eigenen Schuhe anzieht, trampelt Luna vor Ungeduld und lacht. Als sie vorauslaufen will, ruft Henning streng: »Hand!«, und sie bleibt stehen und lässt sich von ihm an der Hand nehmen.

So überqueren sie die Terrasse, steigen schön langsam die Treppe hinunter. Als Luna den ersten Fuß auf den Kies setzen soll, bleibt sie stehen.

»Was ist los?«

»Hau-schuh.«

Er versteht nicht, was sie meint, versucht, sie weiterzuziehen, aber sie sperrt sich. Dann fällt es ihm ein. Sie hat Hausschuhe an, und mit Hausschuhen dürfen sie eigentlich nicht in den Garten.

»Egal«, sagt er. »Ausnahmsweise.«

Sie lässt sich auf der untersten Stufe nieder und will sich die Schuhe wieder ausziehen.

»Nein!«, ruft Henning. »Anlassen. Du brauchst die Schuhe. Komm! Mama holen!«

Statt mit ihm zu gehen, schlägt sie nach seiner Hand, tritt nach ihm, lässt ein Wutkreischen hören.

»Bist du verrückt!« Henning schlägt zurück, jetzt heult sie richtig. Das mit dem Nettsein klappt nicht, aber es ist nicht seine Schuld. Luna benimmt sich wie ein Baby, dabei ist sie schon zwei. Sie sitzt auf der untersten Stufe und schmollt. Er fasst sie an den Oberarmen und schüttelt, so heftig er kann.

»Weißt du, was ich mache? Wenn du nicht mitkommst, bring ich dich zu den Spinnen! Ich schubs dich gegen die Wand, und dann klettern die Spinnen überall auf dir herum! Auf dem ganzen Körper, auch im Gesicht.«

»Nicht Binne«, heult Luna. »Nicht Binne!«

»Dann komm! Sonst Spinne!«

Endlich steht sie auf und setzt sich in Bewegung. Während sie den Vorplatz überqueren, fällt Henning auf, dass sie noch ihre Schlafanzüge tragen. Er hat vergessen, sich und Luna anzuziehen. Die Scham darüber landet auf seinem Nacken und fliegt gleich wieder davon, wie ein Insekt, das sich entschieden hat, doch jemand anderen zu stechen.

Kaum haben sie die Schotterstraße erreicht, wird es steil. Lunas Füße geraten ins Rutschen, er packt ihren Arm mit beiden Händen und passt auf, dass sie nicht stürzt. Niemals sind sie diese Strecke zu Fuß gegangen, immer nur mit dem Auto gefahren, aber Henning weiß, dass sie es schaffen werden, schließlich kann man Femés schon sehen. Er hört die Hammerschläge und das Hundegebell. Sieht Autos fahren. Was ihm nicht gefällt, ist, wie die Berge von der anderen Seite des Tals zu ihnen herübersehen. Ihr Schweigen ist wie Auslachen.

Aber er hat keine Zeit, darüber nachzudenken. Sie müssen sich aufs Gehen konzentrieren. Der Boden ist bedeckt mit Schotter und Geröll, auf dem die Füße wenig Halt finden. Manche Schlaglöcher sind so tief, dass man sie besser umgeht. Links und rechts vom Weg flitzen Eidechsen in die Stachelbüsche; Luna juchzt vor Freude, wenn sie eine sieht. Immer wieder fällt sie auf den Po, Henning kann es nicht verhindern. Einmal stürzt er selbst und steht sofort wieder auf, obwohl er sich den Knöchel geschürft hat.

Er stellt sich vor, er wäre Architekt und Luna sein Assistent. Sie klettern durch eine Baustelle, wo ein riesiges Haus errichtet werden soll. Unten warten die Bauarbeiter auf Hennings Anweisungen. Er hört sie hämmern, aber wenn er nicht bald zu ihnen kommt, können sie nicht weiterarbeiten. Der Weg ist schwierig und anstrengend, aber es ist völlig klar, dass der Architekt und sein Assistent es schaffen werden. Sie sind starke Männer, für die eine Schotterstraße überhaupt kein Problem darstellt.

Die Sonne brennt. Henning weiß, dass er an Sonnenhüte hätte denken müssen. Hat er aber nicht, und er ist zu erschöpft, um sich darüber zu ärgern. An der gesamten Bergseite gibt es keinen Schatten, keinen Baum, keine Palme, keine Mauer, nur niedrige Stachelbüsche und Geröll. Am Himmel färbt die Sonne um sich herum alles weiß, als würde sie das Himmelsblau verbrennen. Henning hat immer geglaubt, die Sonne sei seine Freundin. Jetzt ist er nicht mehr so sicher. Der Schweiß reizt seine Augen, er blinzelt ständig, weil ihm die Sicht verschwimmt. Luna torkelt. Sie stürzt mehr, als dass sie läuft. Ganz still ist sie. Juchzt nicht mehr über die Eidechsen, scheint kaum noch zu merken, wo sie ist. Ihm tut die Hand weh, mit der er ihren Arm umklammert, auch der Kopf schmerzt, ebenso die Füße und der Knöchel, wo er sich gestoßen hat.

In der ersten Kurve beschließt er, eine Pause zu machen. Er schaut ins Tal, um die Entfernung zu schätzen, und erschrickt. Das Dorf ist nicht näher gerückt, sondern hat sich weiter entfernt. Als würde man es durch ein umgedrehtes Fernrohr betrachten. Endlos schlängelt sich die Schotterstraße unter ihnen entlang. Henning schafft es nicht, die Kurven zu zählen. Sein Kopf schmerzt so sehr, dass er kaum noch gucken kann.

Im Auto ist es immer so schnell gegangen. Vor den Fenstern hob und senkte sich das Panorama, manchmal spielte Papa »Paris Dakar«, beugte sich tief über das Lenkrad und ließ sich von Mama die Kurven ansagen, »Eckiger Rechts«, »180 Grad links«. Auf der Rückbank haben Henning und Luna gejubelt und geschrien. Aber jetzt kleben sie am Boden wie Fliegen, denen man die Flügel ausgerissen hat.

Wir sind keine Architekten, denkt Henning, wir sind einfach nur klein.

Beim Weinen kommen keine Tränen, obwohl es den ganzen Körper schüttelt. Sein Gesicht ist ausgetrocknet. Er hat sich auf den Boden gesetzt und den Kopf in die Hände gestützt. So sitzt er, bis auch das Schütteln aufhört. Als er aufschaut und hinunter ins Dorf guckt, sieht er das Auto. Ein weißer Opel, kleiner als ein Spielzeug. Er fährt langsam durch eine der Gassen, bremst an einer Kreuzung, setzt den Blinker. Sogar das kann Henning von hier oben erkennen. Als das Auto abbiegt, verschwindet es zwischen den Häusern. Der Mietwagen. Das ist ihr Mietwagen! Alles ist genau so, wie Henning dachte. Mama und Papa irren da unten umher.

»Luna! Da unten sind sie! Ich hab sie gesehen!«

Luna hat sich auf den Bauch gelegt, einfach so in den groben Schotter, obwohl das weh tun muss. Sie reagiert nicht. Erst als er sie heftig an der Schulter rüttelt, hebt sie den Kopf.

»Ich hab Mama und Papa gesehen! Wir müssen weiter!«

Luna lässt den Kopf wieder sinken. Henning steht auf, versucht, sie auf die Füße zu ziehen. Sie macht kleine, unwillige Geräusche.

»Guck mal, dahinten sind Ziegen!«

Es stimmt, an einem der Abhänge gegenüber sieht man die bunten Punkte einer Herde, viele gescheckt, manche ganz weiß. Henning kann sogar Hirte und Hund erkennen, bevor wieder alles verschwimmt und er zwinkern muss. Luna liebt Ziegen. Wenn Mama welche entdeckt, ist Luna die Erste, die angelaufen kommt.

»Da! Guck doch mal!«

»Müde«, sagt Luna, so leise, dass er sie kaum versteht. Henning gibt auf.

»Dann bleibst du eben hier. Ich gehe ohne dich. Tschüs!«

Mama macht das manchmal, wenn Luna bockt. Sie läuft voraus, tut so, als würde sie weggehen, lässt Luna einfach sitzen, schmollend, trotzig, die Arme verschränkt. Meistens funktioniert es. Irgendwann hält Luna es dann nicht mehr aus, springt auf und rennt hinterher. Nur an ganz schlechten Tagen muss Mama zurückkommen und die schreiende Luna auf die Arme heben.

Henning geht los. Bei den ersten Schritten tragen ihn seine Beine schlecht, dann etwas besser.

»Ich gehe wirklich, Luna! Tschüs!«

Alle paar Schritte dreht er sich um. Luna guckt nicht einmal. Er weiß nicht, ob sie überhaupt mitkriegt, dass er geht.

Da hat Henning eine Idee. Er wird sie wirklich hierlassen. Er wird alleine ins Dorf laufen, so schnell er kann, denn mit ihr gemeinsam schafft er es nicht. Er wird Mama und Papa finden, zu ihnen ins Auto steigen, sie werden herauffahren und Luna abholen. Im Auto ist immer eine Flasche Mineralwasser, darauf freut er sich im Moment am meisten.

Er geht zu Luna zurück, um es zu erklären.

»Du wartest hier, ja? Ich komme gleich wieder. Ich hole Mama und Papa.«

Erst scheint sie auch darauf nicht zu reagieren, aber dann hebt sie den Kopf und sieht ihn an. Ihre Augen sind noch röter, die Haare nass von Schweiß, der weiße Rand geht jetzt von den Lippen bis über die Nase.

»Nicht gehen«, sagt sie.

»Nur kurz. Mama und Papa holen. Gleich wieder da.«

»Nicht gehen!«

Er bückt sich und küsst sie auf den Kopf. Dann geht er los. Sie beginnt zu weinen. Er entfernt sich, so schnell er kann. Er will nicht zurückschauen und tut es dann doch. Sie hat sich hochgerappelt, kniet auf dem Schotter, streckt die Arme nach ihm aus, will aufstehen und fällt wieder hin.

»Henni! Henni! Henni!«

Sie schreit nicht nach Mama, sondern nach ihm. Jedes Mal, wenn sie seinen Namen ruft, schneidet es ihm ins Fleisch wie ein Messer. Er geht weiter, schaut sich nicht um, hört sie nicht mehr, sieht sie nicht, stürzt, steht auf, läuft.

An der nächsten Kurve macht er eine Pause. Er schaut ins Tal. Der Mietwagen ist verschwunden; Henning sieht ein blaues Auto und ein rotes, kein weißes. Das weiße muss irgendwo in den Spielzeuggassen herumkreisen, von Spielzeughäusern verdeckt. Es kann nicht schwer sein, den Wagen zu finden. So groß ist Femés ja nicht. Allerdings schon wieder ein Stück weiter weggerückt. Sosehr Henning auch blinzelt, das Dorf kommt nicht näher. Er muss sich beeilen, um es zu erreichen, sonst ist es irgendwann ganz weg. Vielleicht sollte er rennen, auch wenn die Gefahr zu stürzen dadurch noch größer wird.

Er dreht sich um und schaut zurück. Weiter oben am Straßenrand liegt Luna auf dem Bauch. Sie rührt sich nicht. Man sieht keinen Kopf, nur den Stoff des hellblauen Schlafanzugs, den sie von ihm geerbt hat.

Sie sieht aus wie ein überfahrenes Tier. Eine Katze. Ein Kaninchen. Eins von denen, die auf der Straße liegen und in der Sonne trocknen, immer platter gefahren werden von den Autos, bis sie in Stücke gehen, bis ihr Fell reißt und sich über die Fahrbahn verteilt, und eines Tages, wenn man wieder einmal an der Stelle vorbeikommt, sind da nur noch bräunliche Verfärbungen auf dem Asphalt.

Hennings Beine laufen los, bevor er sie dazu aufgefordert hat. Nicht bergab, sondern bergauf. Kehren Femés den Rücken, laufen auf der Schotterstraße zurück. Zurück zu Luna.

Als sie nebeneinander auf der kühlen Terrasse liegen, kann Henning kaum glauben, dass sie es zum Haus geschafft haben. Er hat Luna mehr getragen und geschleift, als dass sie gelaufen wäre. Er hat sie angeschrien und angefleht, hat ihr Belohnungen versprochen und ihr gedroht, hat an ihren Armen und Beinen gezerrt, sie geschoben und gestoßen. Sie ist trotzdem immer nur für ein paar Schritte auf die Füße gekommen und hat sich gleich wieder fallen lassen. Er hat neben ihr in der prallen Sonne gesessen und gewartet, dass etwas Kraft zu ihm zurückkehrt. Die ganze Zeit hatte er das Haus dicht vor Augen, weiß aufragend hinter Mauern und Palmen, nicht weit entfernt und doch schier unerreichbar. Er dachte, dass sie es nicht schaffen. Er hat trotzdem einfach weitergemacht.

Der Schatten ist wie eine Umarmung, kühl, mit leichtem Blumenduft, wie wenn Mama frisch geduscht aus dem Badezimmer kommt und Henning die Hände auf die Schultern legt. Er dreht den Kopf, um die Wangen abwechselnd auf die kalten Fliesen zu pressen. Seine Haut brennt, pochender Schmerz will ihm den Schädel sprengen. Am schlimmsten ist das stachelige Tier im Hals. Wenn Henning zu schlucken versucht, muss er würgen. Luna neben ihm scheint zu schlafen, sie hat die Augen geschlossen und atmet ruhig. Ein bisschen ausruhen, denkt Henning, dann starten wir den zweiten Versuch. Vielleicht könnte er den Buggy mitnehmen, um Luna zu schieben. Oder die Schubkarre, so wie Noah es gemacht hat. Wie lustig das immer war, mit Noah im Garten! Noah, der Mama geraubt und Papa getötet hat. Aber sie sind nicht tot, weil Eltern nicht sterben, sie irren im weißen Opel durch Femés. Hinter geschlossenen Augen sieht Henning das Muster der Ritzen zwischen den Bodenfliesen, auf das er nicht hätte treten dürfen. Dann schläft er ein.

Als er erwacht, scheint keine Zeit vergangen zu sein. Der Garten ruht reglos in der Hitze wie zuvor. Luna liegt mit geschlossenen Augen am Boden und hat sich nicht bewegt. Henning weiß nicht, ob Vormittag oder Nachmittag ist, er sitzt im Tag fest wie in einer Falle. Trotzdem fühlt er sich etwas stärker, der Kopfschmerz hat nachgelassen, und seine Augen brennen nicht mehr so sehr. Er rappelt sich auf und geht in die Küche, er braucht etwas, um den rebellierenden Magen zu beruhigen.

Vor dem Kühlschrank kniend, zieht er von ganz hinten einen großen Joghurtbecher hervor. Henning mag keinen Joghurt, der säuerliche Geschmack erinnert ihn an Kotze, und hier auf der Insel kommt noch ein komisches Ziegenaroma hinzu; da kann Mama noch so oft sagen, es gebe nichts Gesünderes auf der Welt. Er reißt den Becher auf, Mama wäre stolz auf ihn, sie würde lächeln und leise »siehste« sagen. Oben auf der weißen Masse schwimmt trübe Flüssigkeit, Henning trinkt und muss die Augen schließen, so wohl tut die Nässe seiner wunden Kehle. Mit den Fingern schaufelt er Joghurt in sich hinein. Das stachelige Tier lockert die Krallen, wird vom Joghurt den Hals hinuntergezwängt und verschwindet im Magen. Nie zuvor hat Henning etwas so Köstliches gegessen.

Bevor der Becher ganz leer ist, denkt er daran, Luna etwas abzugeben. Sogar einen Löffel nimmt er mit, damit sie besser an die Reste ganz unten kommt. Auf der Terrasse bleibt er abrupt stehen, schließt und öffnet mehrmals die Augen, weil er nicht glauben kann, was er sieht. Nämlich nichts. Luna ist weg. Die Stelle, wo sie lag, ist leer. Henning läuft auf der Terrasse hin und her, als könnte er Luna übersehen haben. Dabei weiß er schon, wo sie ist. Da, wo Mama und Papa sind. Aber wie ist das möglich? Ist Noah gekommen, heimlich, während Henning in der Küche war? Es gibt eine andere Antwort, die furchtbarer ist als alles, was er bislang gedacht hat. Henning weigert sich, das zu denken. Stattdessen rennt er ins Haus, durch den Saal in die Flure, und schreit ihren Namen, hysterisch, panisch, mit einer Stimme, die er nicht kennt.

»Luna!«

Er findet sie im Bad. Sie hat es geschafft, das kleine Schränkchen näher ans Waschbecken zu schieben, und ist hinaufgeklettert. Mamas Crèmetöpfe liegen am Boden, ebenso wie die halbleere Packung Feuchttücher und ein Stapel Waschlappen. Dazu Zahnbürsten, Zahnpasta. Das Wasser läuft. Luna hält den Zahnputzbecher unter den Strahl. Lässt ihn volllaufen und trinkt. Als sie Henning bemerkt, trinkt sie schneller. Bemüht sich, den Becher noch einmal leer zu kriegen. Ihre Augen, mit denen sie ihn über dem Becherrand mustert, wirken unnatürlich groß, wie bei einem Nachttier.

Hennings Entsetzen wandelt sich in Hass. Er hasst Luna, hasst sie mit ganzer Macht. Weil sie genau weiß, dass sie das nicht soll. Weil sie nie tut, was man ihr sagt. Weil sie ihm mit ihrem plötzlichen Verschwinden einen solchen Schock versetzt hat. Weil sie Wasser trinkt, von dem sie sterben wird. Weil Mama und Papa sagen werden, dass er nicht gut auf sie aufgepasst hat. Weil er einen Becher in der Hand hält mit traurigen Resten von Joghurt, die er ihr bringen wollte. Weil das stachelige Tier in seinem Hals wieder da ist. Weil er selbst Wasser braucht, eine ganze Wanne voll, in die er eintauchen kann, trinken, trinken, den Körper kühlen, von innen und von außen.

»Wassaaa«, sagt Luna, als sie den Becher kurz absetzt, um nach Luft zu schnappen.

Er schubst sie. Weg vom giftigen Wasser, weg vom Waschbecken.

»Böse!«

Der Zahnputzbecher fliegt durch die Luft. Das Schränkchen wackelt. Luna stürzt mit den Händen voran, sie will sich abfangen, landet tatsächlich mit den Armen voraus, kann aber den Schwung nicht bremsen und schlägt mit dem Kinn auf die bunten Kacheln am Boden. Dieses Mal weiß Henning, dass sie nicht tot ist, weil sie nicht mit dem Hinterkopf aufgekommen ist, sondern mit dem Gesicht. Aber es passiert etwas anderes, vielleicht sogar schlimmer als Sterben. Binnen weniger Sekunden ist alles voller Blut. Noch nie hat Henning so viel Blut gesehen. Es kommt aus Luna heraus, läuft über die Wange zum Ohr und ändert die Fließrichtung, als sie sich aufrichtet, über Kinn und Hals ins Oberteil ihres hellblauen Schlafanzugs, das sich sofort dunkelrot verfärbt. Luna ist so verblüfft, dass sie nicht einmal schreit. Sie fasst sich ins Gesicht und betrachtet ihre roten Hände. Fragend sieht sie Henning an, als müsste er ihr etwas erklären. Als sie den Mund öffnet, um etwas zu sagen, kommt noch mehr Blut, ein ganzer Schwall. Luna hustet, Blutspritzer landen auf Hennings Schlafanzughose, auf seinen Armen und im Gesicht.

Er hat das viele Blut gemacht. Er hat sie geschubst. Es ist seine Schuld.

»Hör auf zu bluten«, schnauzt er sie an. »Lass das sofort sein!«

Luna sieht erschrocken aus, sie versteht nicht, was er sagt, hört aber an seinem Tonfall, wie wütend er ist.

»Nur wegen dir! Weil du das Monsterwasser getrunken hast! Das ist ganz allein deine Schuld.«

Erst jetzt beginnt sie zu weinen, nicht weil sie blutet, sondern weil er mit ihr schimpft, und das macht Henning noch wütender. Beim Weinen verzieht sie den Mund, die Lippen öffnen sich, Blut und Speichel fließen heraus, und Henning kann sehen, was passiert ist. Vorne fehlen zwei Zähne. Die oberen. Da, wo sie waren, ist ein blutiges, rechteckiges Loch. Henning weiß, dass man Zähne nicht mehr dranmachen kann. Jeder wird sehen, dass sie fehlen. Er bekommt große Lust, Luna noch einmal zu schubsen, so heftig, dass sie durchs ganze Badezimmer fliegt, vielleicht mit dem Kopf gegen die Toilette, und dann wird sie liegen bleiben und still sein, und endlich herrscht Ruhe.

»Ich gehe jetzt«, sagt er. »Ich komme erst wieder, wenn du mit Bluten aufhörst!«

Er läuft in den Saal und versteckt sich hinter der Couch. Zieht die herunterhängende bunte Decke über sich, damit Luna ihn wirklich nicht sehen kann. Er hört ihr Weinen, hört sie näher kommen, »Henni! Henni!

Henni!«, er hält die Luft an, er harrt aus, er zwingt sich, sitzen zu bleiben, bis sie endlich verstummt.

Als es dunkel wird, bringt er Luna ins Bett. Dieses Mal hat er es nicht geschafft, der Dunkelheit zuvorzukommen, aber er ist zu schwach, um sich deswegen zu sorgen. Er hat die beiden Zähne im Bad gefunden und sie aus dem angetrockneten Blutfleck gepickt. Während er sie unter dem Kopfkissen platziert, erzählt er Luna die Geschichte von der Zahnfee. Luna liegt auf dem Rücken und schaut ihm die ganze Zeit ins Gesicht. Als würde sie seinen Anblick trinken. Um den Mund und am Hals hat sie schwarze Flecken vom Blut, die hat er nicht ganz weggekriegt. Aber einen frischen Schlafanzug hat er ihr angezogen, darauf ist Henning unendlich stolz. Er streichelt ihr über den Kopf, sagt: »Ach, Luna«, bis sie die Augen schließt. Der Schlaf ist ein wunderbares Land, dem Henning mit fliegenden Schritten entgegenläuft. Der Schlaf umfängt ihn, wiegt ihn, löscht alles aus. Henning stürzt ins Vergessen.

Beim Erwachen weiß er die Antwort. Sie steht ihm glasklar vor Augen, als hätte er sie die ganze Zeit schon gekannt. Vielleicht wollte er es nicht wahrhaben. Aber es führt kein Weg daran vorbei. Henning steht auf, geht ins Bad, pinkelt in die Toilette, geht weiter in den Saal, wo er Luna findet. Ihm ist gar nicht aufgefallen, dass sie beim Aufwachen nicht neben ihm lag. Ein wenig merkwürdig verhält sie sich. Sie kauert an der Wand, die Arme um die Knie geschlungen, und wiegt sich vor und zurück. Im Zoo hat Henning mal einen Affen gesehen, der an einer Glasscheibe saß und sich auf diese Weise wiegte. Wieder wirken ihre Augen unnatürlich groß, während sie ihm entgegenschaut. Sie sagt nichts, zeigt keinerlei Reaktion, wiegt sich und schaut. Henning fragt sich, ob sie heimlich wieder von dem Wasser getrunken hat. Aber das ist jetzt egal. Er braucht sie. Bei dem, was er vorhat, muss sie ihm helfen, das schafft er nicht allein.

»Komm«, sagt er. »Ich weiß jetzt, was passiert ist.«

Die Sonne scheint hell und taucht den Saal in freundliches Licht. Auf der Terrasse ist es bereits ziemlich warm. In den Palmen veranstalten die Spatzen einen Riesenlärm. Henning und Luna verlassen die Terrasse und umrunden das Haus. An der Spinnenwand sitzen die Spinnen, Hunderte von ihnen, schaurige achtstrahlige Sonnen, völlig reglos. Bei ihrem Anblick fühlt sich Henning, als säßen sie ihm bereits überall am Leib. Hand in Hand rennen sie vorbei. Luna fühlt sich heiß an. Ihr ganzer Körper strahlt Hitze aus, als würde sie von innen glühen. Als sie erkennt, wo sie hingehen, bleibt sie stehen.

»Doch«, sagt Henning. »Es muss sein.«

Sie stehen am Rand der Betonfläche, auf der, wie Papa ihnen erklärt hat, der Regen gesammelt und in die Aljibe geleitet wird. Früher gab es nur Regenwasser für Menschen, Tiere und Pflanzen, und weil es auf der Insel so selten regnet, musste jeder Tropfen aufgefangen werden. Luna stemmt die Füße in den Boden und starrt zu dem schweren Brett hinüber, das Papa auf das Loch in der Mitte der Fläche gelegt hat, damit niemand hineinfallen kann. Sie hat nicht vergessen, was Mama gesagt hat: »Da unten wohnt ein Monster. Wenn ihr zu nah herankommt, zieht es euch in die Tiefe.«

Und dann ist es Mama selbst passiert. Henning hat es die ganze Zeit gewusst, er hat nur nicht gewagt, es sich einzugestehen. Dabei weiß er genau, wie Monster sind, er kennt sie aus unzähligen Geschichten. Mama hat im Garten gearbeitet und wollte nachschauen, ob noch Wasser in der Aljibe ist. In dem Augenblick, als sie das Brett abgenommen hat, kam eine Hand an einem langen Arm aus der Tiefe geschnellt und hat sie hinuntergezogen. Vielleicht hat Papa sie schreien gehört und wollte ihr helfen, und da hat das Monster auch ihn erwischt.

Was mit dem Auto geschehen ist, weiß Henning nicht. Das scheint ihm momentan auch nicht wichtig. Wichtig ist, dass Mama und Papa dort unten im Wasser sitzen, in der Dunkelheit, bewacht von einem Monster, das sie angrinst mit seiner schrecklichen Fratze. Vielleicht hat das Monster schon einen von beiden gefressen, aber an dieser Stelle kann Henning nicht weiterdenken.

Luna schüttelt den Kopf. Ihre Augen sind noch größer geworden. Ihr Gesicht scheint nur noch aus Augen zu bestehen.

»Mama und Papa sind da unten«, sagt Henning. »Wir müssen sie raufholen.«

»Mamaaa? Papaaa?«

Es kommt Henning vor, als würde er zum ersten Mal seit Langem Lunas Stimme hören. Ein Lachen steigt auf, obwohl ihm gar nicht nach Lachen zumute ist. Er geht in die Knie, um seine Schwester zu umarmen. Glühend presst sich ihr kleiner Körper gegen ihn. Sie legt den Kopf auf seine Schulter und atmet, als wollte sie einschlafen.

»Komm. Ausruhen können wir uns später. Wir holen Mama und Papa aus dem Loch.«

Mit kleinen Schritten überqueren sie die Betonfläche, als liefen sie über dünnes Eis. Je näher sie dem Loch kommen, desto langsamer geht es voran. Immer wieder bleibt Luna stehen und schüttelt den Kopf, dann nimmt Henning sie an der Hand, damit sie weiterläuft. Er kann nicht mehr aufhören zu reden, die Worte purzeln massenweise aus seinem Mund. Er erzählt davon, wie er mit Papa im Winter einmal am Baggersee war. Der See war zugefroren, es lag sogar eine dünne Schneedecke darauf. Er ist mit Papa auf dem See spazieren gegangen. »Du warst nicht dabei, Luna«, sagt er, »da warst du noch ganz klein.« Das Wasser, hat Papa erklärt, friere immer von den Rändern her, weshalb sie nah am Ufer blieben, weil Papa nicht sicher war, ob das Eis in der Mitte des Sees schon trug. Plötzlich sahen sie einen Schlittschuhfahrer, der etwas weiter draußen seine Runden zog. Die Schlittschuhe malten ein hübsches Muster in die Schneedecke. Die Eisdecke sang und stöhnte, ein seltsames Geräusch, das Henning noch nie zuvor gehört hatte. Dann gab es ein dumpfes Knacken, und der Schlittschuhfahrer verschwand. Gleich darauf tauchte er wieder auf, schrie und spuckte und stützte die Arme auf den Rand des Eislochs, um sich herauszuziehen. Aber das Eis brach immer wieder ein. Der Mann zappelte im Wasser und rief um Hilfe. Papa war längst losgelaufen. Er rannte zum Ufer und kam mit einem langen Ast zurück. Er legte sich flach auf den Bauch und robbte vorsichtig auf das Eisloch zu. Er streckte dem Schlittschuhfahrer das Ende des Asts entgegen, der Mann klammerte sich daran, und Papa zog ihn Stück für Stück, ganz langsam aus dem Loch heraus. »Er hat ihm das Leben gerettet«, sagt Henning.

Erst als sie das Brett erreichen, kommen keine Worte mehr. Gemeinsam schauen sie es an. Das Brett ist größer als in Hennings Erinnerung. Es sieht aus, als wäre es einmal eine Tür gewesen, keine Haustür oder Zimmertür, aber vielleicht die Tür eines Schuppens oder Stalls. Es ist aus mehreren Teilen gemacht, die von quer genagelten Latten zusammengehalten werden. Henning geht in die Knie. Der Boden unter seinen Füßen fühlt sich unsicher an, als würde er leicht schwanken und könnte jeden Moment einbrechen. Er spürt die Schwärze unter dem Beton. Er schiebt die Finger unter die Kante des Bretts und rüttelt daran. Es bewegt sich minimal. Als er versucht, es anzuheben, passiert gar nichts. Leicht nach vorn gebeugt, drückt er aus den Knien gegen das Gewicht, stemmt mit ganzer Kraft, und tatsächlich hebt sich die Tür ein paar Zentimeter und fällt, als er loslässt, krachend in die Ausgangsposition zurück. Das Dröhnen erzeugt einen Hall, der sich unter der Erde fortsetzt und den ganzen Garten zu erfassen scheint. Wie die Stimme des Monsters. Luna ist starr vor Schreck, ihre geweiteten Augen sehen Henning fragend an.

»Wir schaffen das«, sagt Henning. »Warte hier.«

Er läuft über die Betonfläche, jetzt mit sicheren Schritten, er hat einen Plan, er weiß, was zu tun ist. Er holt Mama und Papa da raus. Bald werden sie wieder zu viert im weißen Opel sitzen und anderen Kindern zuwinken, die am Straßenrand stehen. Im Garten findet er einen passenden Stein, groß wie ein Babykopf. Mit beiden Händen hebt er ihn an, presst ihn gegen die Brust und schleppt ihn zum Loch, wo Luna brav wartend am Boden hockt. Den Stein legt er ab und achtet darauf, nicht zu poltern, um sie nicht noch einmal zu erschrecken. Obwohl die Sonne brennt und sein Kopf erneut zu schmerzen beginnt und er wieder nicht an Sonnenhüte gedacht hat, fühlt er sich stark.

»Jetzt musst du helfen«, sagt er zu Luna mit Architektenstimme. So spricht er mit ihr, wenn sie gemeinsam etwas bauen. Henning gibt Anweisungen, die Luna ausführt, so gut sie kann. Er lobt viel, weil er weiß, dass sie dann länger mit ihm spielt.

»Ich bin der Kran, du bist der Radlader. Ich hebe das an, und wenn es hoch genug ist, schiebst du den Stein darunter.«

Um sicherzugehen, dass sie verstanden hat, erklärt er es noch ein paar Mal in ihrer Sprache, »Radladaaa, schiiieb!« und lässt sie probieren, ob sie den Stein bewegen kann. Das ist auf der glatten Fläche kein Problem. Er geht in Position und gibt das Startsignal.

»Auf die Plätze, fertig, los.«

Dieses Mal stemmt er von Anfang an aus den Knien, das Brett hebt sich, es fehlt ein handbreites Stück, damit der Stein unter die Kante passt. Hennings Körper zittert, er hält die Luft an, er spürt, wie sich das Blut im Kopf staut. Die nächsten Zentimeter scheinen härter als die ersten, zäher, unüberwindlich. Er denkt an Mama, wie sie im schwarzen Wasser sitzt, und dann gelingt es ihm doch.

»Jetzt! Schnell!« Luna schiebt den Stein, das Brett hat sich wieder ein wenig gesenkt, Henning stemmt noch einmal mit ganzer Kraft, »Schieb!«, der Stein liegt richtig und Henning kann loslassen. Seine Arme sind aus Gummi, er muss sich setzen. Der Schweiß brennt ihm in den Augen, sein Mund fühlt sich an wie Schmirgelpapier, aber die Klappe steht ein gutes Stück offen. Er legt sich auf den Boden und versucht, durch den Spalt zu sehen. Das gelingt nicht, weil er den Kopf nicht unter das Brett schieben will, aber er spürt die Kälte, die aus der Tiefe heraufsteigt und ihm die Stirn kühlt, es ist gar nicht unangenehm.

»Hallo!«, ruft er. »Mama?«

Das Echo verwandelt seine Stimme in ein fremdes Wesen. Es scheint nicht aus Hennings Mund zu kommen, sondern gemeinsam mit der Kälte aus dem Loch heraufzusteigen. Luna legt sich neben ihn und macht mit.

»Mamaaa! Mamaaa!«

Eine Weile rufen sie weiter, obwohl keine Antwort kommt. Es tut gut zu schreien, und das Echo macht sogar ein bisschen Spaß. Irgendwann sagt Henning, dass es genug ist und sie jetzt weiterarbeiten müssen.

»Mama nicht daaa?«

»Doch. Sie antwortet nicht, weil... Weil sie zu schwach ist. Oder das Monster hält ihr den Mund zu.«

Wenn Henning tief in die Hocke geht, kann er die Handballen unter den Rand des Brettes bringen. Das geht besser als vorhin, mit viel mehr Kraft.

»Du bist jetzt auch ein Kran. Fass da mit an. Brett muss hoch.«

Luna stellt sich neben ihn und schließt ihre kleinen Finger um die Kante.

»Auf die Plätze, fertig, los.«

Das Brett hebt sich sofort. Henning drückt stärker. Die Kraft muss aus den Beinen kommen, sagt Papa immer, wenn er etwas hebt. Henning merkt, dass das stimmt. Es gelingt ihm aufzustehen, das Brett liegt jetzt auf seiner Brust, was ganz schön wehtut. Luna erreicht die Kante nur noch mit gestreckten Armen. Sie hilft nicht richtig, sie tut nur so.

»Geh an die kurze Seite, da kommst du besser dran.«

Sie versteht und fasst das Brett an der Schmalseite. Hennings Füße stehen genau auf dem Rand des Lochs. Ihm fällt auf, dass er keine Schuhe trägt. Seine Zehen haben sich um den Rand gekrallt, wie bei einem Affen, der sich mit den Füßen am Baum festhält. Durch die Bewegung lösen sich kleine Steinchen und fallen in das Loch, Henning hört ihren Aufschlag tief unten im Wasser, ein helles Platschen. Die Kälte atmet gegen seine Beine und seinen Bauch, während ihm die Sonne heiß auf den Rücken brennt. Als wäre er zwischen zwei Jahreszeiten eingeklemmt.

»Wir haben es gleich«, sagt er zu Luna, obwohl er in Wahrheit nicht weiterweiß. Selbst wenn er das Brett noch ein bisschen höher stemmt, wird das nicht reichen, um es umkippen zu lassen. Um den Kipppunkt zu erreichen, müsste er ein paar Schritte vortreten, aber da ist das Loch.

»Wir fassen es beide an den Seiten«, sagt er. »Ich hier und du dort.«

Er weiß noch nicht genau, wie das gehen soll, aber

man muss es eben einfach probieren. Stück für Stück wandert er unter dem Brett entlang, bis er gegenüber von Luna steht.

»Wenn ich ›jetzt‹ sage, schieben wir mit ganzer Kraft.«

Luna fängt schon mal an, drückt gegen die Kante, so fest sie kann. Plötzlich rutscht sie aus.

»Vorsicht!«, schreit Henning.

Ein paar größere Steine platschen ins Wasser, als Lunas Beine ins Leere treten, sie hält sich am Rand des Bretts fest und fällt dann doch, landet rücklings auf dem Beton, die Beine unter dem Brett. Es sieht aus, als wollte das Loch sie verschlingen, einsaugen, nur noch ihr Oberkörper guckt hervor. Allein kann Henning das Brett kaum halten, aber er darf nicht loslassen, es würde sie zerquetschen.

Da ist ein Auto. Henning hört es nicht und hört es doch.

»Kriech da raus! Schnell!«

Luna kann sich mit den Beinen nirgendwo abdrücken, und ihre Finger finden auf dem Beton keinen Halt, aber sie ist ein kluges Mädchen, sie bewegt den Körper wie eine Schlange und rutscht zentimeterweise über den Boden.

Das Auto kommt näher, es klingt nicht nach Femés, sondern nach Schotterstraße. Henning hört es und hört es nicht.

Stück für Stück schiebt sich Luna weg vom Loch. Schon stemmen sich ihre Füße auf den Boden, sie ist in Sicherheit, sie krabbelt davon.

»Gut gemacht! Du bist super!«

Hennings Brust schmerzt vom Druck des Bretts.

»Und jetzt wieder schieben!«

Luna steht auf und fasst erneut die Kante. Eine Autotür schlägt zu. Henning hebt den Kopf und lauscht. Es muss Einbildung gewesen sein. Ein Echo, das durchs Tal schwebt wie ein Gespenst.

»Schieb!«

Das Brett bewegt sich. Es richtet sich auf. Henning geht ein Stück nach vorn.

»Hola? Hola!«

Eine Männerstimme. Die passt nicht ins Bild. Sie wird abgestoßen von der Stille des Gartens. Das Brett beginnt zu rutschen. Es rutscht schräg über das Loch, weil Henning viel stärker drückt als Luna, er kann es nicht gerade halten.

»No! Qué estáis haciendo? No!!«

Das ist Noah. Er kommt mit großen Sprüngen durch den Garten heran. Sein Mund ist weit aufgerissen. Jetzt hört Henning ihn schreien. Das Brett rutscht und schiebt Luna Richtung Loch, aber sie lässt nicht los, sie hängt schon halb in der Luft.

»No!«

Noah ist auf der Betonfläche. Er kommt näher. Henning erkennt ihn genau. Er weiß, wer das ist.

»Lass los, Luna! Lass besser los!«

Sie kann nicht mehr loslassen, sie braucht den Halt. Das Brett neigt sich noch ein Stück, verzweifelt kämpft Henning um die Balance. Noah kommt heran. Henning sieht sein Gesicht, zu einer hässlichen Grimasse verzerrt. Da begreift er. Das Monster sitzt nicht im Loch. Noah ist das Monster. Er ist auf Mama gesprungen, weil er sie fressen wollte. Später ist er wiedergekommen und hat beide Eltern geholt. Jetzt will er die Kinder.

Henning beginnt zu schreien. Der Schrei füllt ihm Kopf und Brust. Er kann das Brett nicht mehr halten, es rutscht ihm aus den Fingern. Noah hat Luna bereits mit einem Arm gepackt, den anderen schlingt er um Hennings Hüfte. Henning zappelt, er wehrt sich, er schreit, das Brett fällt, der Knall ist ohrenbetäubend. Auch Luna schreit. Das Monster hält sie beide fest. Henning kämpft und weiß schon, dass er verloren hat. Er hat alles gegeben, alles getan und trotzdem verloren. Das ist das Ende.

Er steht am Rand des Lochs und starrt ins Nichts. Das Brett liegt umgekippt auf dem Beton. Die heraufsteigende Kühle fasst ihm ins Gesicht, die hochstehende Sonne verbrennt seinen Nacken. Unten liegt der Wasserspiegel glatt wie schwarzes Glas, bis auf ein gelegentliches Kräuseln, als erschauere der Berg im Inneren.

»Was ist denn los?«

Hennings Atem geht schnell, als wäre er gerannt. Ihm fällt auf, dass er etwas umklammert, öffnet die Fäuste und sieht zwei bemalte Steine, einen in jeder Hand, links Tausendfüßler, rechts Skarabäus. Im Schreck schleudert er sie von sich wie etwas Widerwärtiges. Sie stürzen ins Loch, schlagen unten ins Wasser, das Platschen klingt hohl und erzeugt einen Hall, konzentrische Kreise versetzen das Schwarz in Unruhe, nur für ein paar Augenblicke, bis die Stille wieder gewinnt.

»Spinnst du? Die haben mir viel bedeutet!«

Lisa ist herangekommen, hält instinktiv ein bisschen Abstand vom Loch und von ihm, als könnte er im nächsten Moment etwas noch Verrückteres tun.

Er will sich entschuldigen, bringt aber nur ein trockenes Krächzen hervor. Misstrauisch mustert sie ihn, und Henning macht sich klar, was sie sieht: keinen verzweifelten kleinen Jungen, sondern einen erwachsenen Mann, der übermäßig schwitzt, heftig atmet und in eine

Aljibe starrt. Als er sich nähern will, hebt sie abwehrend die Hände.

»Du gehst jetzt besser.«

Sie läuft zurück zum Haus, über die Terrasse in den Saal, zieht die schwere Holztür hinter sich zu, es ist, als würde das Haus die Augen schließen.

Die Abfahrt von Femés ist wie ein Rausch. In den Serpentinen bremst Henning noch ein wenig, danach lässt er das Rad einfach laufen. Siebzig Kilometer pro Stunde, dann achtzig. Die Augen tränen im Fahrtwind, Henning sieht nichts, konzentriert sich nur darauf, das Rad gerade zu halten, nicht ins Schlingern zu kommen. Die Geschwindigkeit schluckt ihn. Ein Film läuft in rasendem Tempo rückwärts, löscht die Auffahrt, die Anstrengung, den Kampf, das wiegende Treten, Erster-Erster. Löscht Hunger und Durst und alle Gedanken. Entfernung löst sich auf, die Ebene schnurrt zusammen. Als Henning aufschaut und sich die Augen trocknet, hat er Playa Blanca erreicht. Als wäre er gar nicht richtig fort gewesen, nur kurz mit dem Rad zum Bäcker gefahren, um frische Brötchen zu holen.

Am Eingang der Feriensiedlung, in der das Scheibenhaus liegt, hält er an, einen Fuß auf den Boden gestützt. Er holt das Handy hervor und drückt eine seitliche Taste. Das Display leuchtet auf. Der Akkustand ist bei 84 Prozent. Die letzte SMS von Theresa ist zwei Tage alt: »Bitte noch Joghurt und Nutella mitbringen.«

Im Garten flattert Wäsche auf einem Ständer. Der Wind zerrt daran, schafft es aber nicht, sie abzureißen.

»Hey, wie war's?«

Theresa kommt aus dem Haus, wird von den Kin-

dern überholt, »Papa, Papa, wir haben eine Wasser-
burg gebaut«, sie werfen sich ihm entgegen, klammern
sich an seine Beine, Henning breitet die Arme aus und
nimmt auch Theresa zu sich, »Schöne Tour gehabt?«,
murmelt sie und lacht, »Hey, nicht so fest!«, als er sie
mit dem rechten Arm an sich drückt, mit dem linken
hält er Bibbi und Jonas. So stehen sie für ein paar
Augenblicke, verbunden zu einem achtbeinigen Tier.

Als sie nach Deutschland zurückkommen, mit schwerem Gepäck und quengelnden Kindern, riecht es im Treppenhaus nach Zigaretten.

»Ich dachte, sie bleibt nur ein paar Tage«, sagt Theresa.

Henning hatte mit Luna verabredet, dass sie weg ist, wenn er mit seiner Familie nach Hause kommt.

»Wir brauchen das Home Office«, sagt Theresa. »Und ich will nicht, dass sie da oben raucht.«

»Ich werde mit ihr reden«, sagt Henning.

Theresa nimmt einen der schweren Koffer und schleppt ihn die Stufen hinauf. Sie lässt nicht zu, dass Henning ihr hilft.

Noch am gleichen Abend, als die Kinder im Bett sind, steigt Henning die Treppe zum Home Office hinauf und klopft an die Tür. Luna öffnet sofort, eine brennende Zigarette in der Hand.

»Großer!«

Sie wirft sich in seine Arme. Auch er ist glücklich, als hätten Zweifel bestanden, ob Luna überhaupt existiert. Er drückt sie an sich, dann bringt er sie auf Abstand und schaut ihr ins Gesicht. Er sucht das kleine Mädchen darin. Die großen Augen, die runden Wangen, den erstaunten Blick. Die fehlenden Schneidezähne. Aber er findet nur die spöttische Miene einer auffallend hübschen Frau. Die kleine Luna ist verschwunden.

»Schönen Urlaub gehabt?«

Während Henning das Wetter, die Landschaft und die kleinen Abenteuer des Alltags beschreibt, räumt er auf. Er leert Lunas Aschenbecher, macht das Bett auf der Klappcouch, spült eingetrocknetes Geschirr und sammelt herumliegende Kleidungsstücke ein. Luna raucht und hört ihm zu. Am Ende kontrolliert er den Kühlschrank, findet nur Kaffee, Toastbrot und Tomatensauce in Gläsern und nimmt sich vor, beim nächsten Einkauf dunkles Brot, Obst und Gemüse für Luna mitzubringen.

»Theresa will nicht, dass du hier rauchst.«

»Theresa will nicht, dass ich hier bin. Mit oder ohne Zigaretten.«

Er streitet mit ihr herum. Natürlich wollte sie längst weg sein, aber Micha, bei dem sie eine Weile unterschlüpfen sollte, hat sich nun doch wieder mit seiner Freundin vertragen, und weil sie die Couch bei Rolf nur ungern in Anspruch nehmen würde, sucht sie jetzt etwas Dauerhaftes. Und hat auch etwas in Aussicht. Es kann sich nur noch um ein paar Tage handeln, zwei oder drei, höchstens eine Woche. Henning sagt, dass das so nicht geht. Dass sie endlich die Zigarette ausmachen soll.

»Was ist los, Großer?«

Er tritt ans Fenster und sieht hinaus. Nach Einbruch der Dunkelheit hat es noch einmal geschneit. Auf den Autodächern unter den Laternen glitzert unberührtes Weiß. Kälte und Schnee sind ungewöhnlich für Göttingen. In den Nachrichten sprechen sie von Ausnahmezustand. Zugausfälle, gesperrte Autobahnen, ein Toter. Endlich dreht Henning sich um und stellt seine Frage.

»Davon gibt es Fotos«, erwidert Luna.

Im selben Augenblick fällt es ihm ein: das Familienalbum, in grünes Kunstleder gebunden. Damals, bei seinem Auszug von Zuhause hat er es mitgenommen, weil sich niemand dafür interessierte. Jetzt verlässt er das Home Office und läuft die Treppe hinunter. Im engen Kellerabteil muss er sein verstaubtes Fahrrad beiseiteräumen, um an die Kiste mit dem alten Kram zu kommen. Die Sachen riechen modrig und ein wenig nach Mäusen. Zwischen Briefen, alten Ausgaben einer Schülerzeitung und mehreren Schachteln voll Zinnsoldaten findet er schließlich, was er sucht. Er wischt mit dem Ärmel über das Album und trägt es die Treppe hinauf, vom Keller bis unters Dach. Im Home Office legt er es auf den Schreibtisch. Gemeinsam beugen sie die Köpfe darüber.

Die Seiten sind aus hartem Karton, mit Deckblättern aus Transparentpapier. Henning mit Schultüte, Luna mit Zahnlücke. Die Geschichte der verlorenen Schneidezähne gehört zum kleinen Repertoire an Familienlegenden, die die Mutter immer wieder erzählt hat. Bei einem Spaziergang im Stadtpark flitzte die kleine Luna mit ihrem Dreirad plötzlich einen Hügel hinunter, die Beinchen hochgezogen, jauchzend und schlingernd und so schnell, dass die Mutter es nicht schaffte, sie einzuholen. Unten prallte das Dreirad gegen ein Mäuerchen, Luna flog in hohem Bogen in die Rabatte. Landete unglücklich mit dem Mund auf einem Stein. Henning weiß noch, wie stolz Luna auf die fehlenden Schneidezähne war. Auf allen Fotos präsentiert sie die Lücke mit breitem Grinsen.

Henning blättert, die Kinder werden älter. Immer wieder lacht die erwachsene Luna neben ihm, zeigt auf ein Detail, sagt: »Weißt du noch?« Irgendwann kommen keine Fotos mehr, die Seiten bleiben leer. Als Henning das Album zuschlagen will, fällt ein kleiner Stapel Bilder heraus, die lose ganz hinten im Buch lagen.

Werner schlafend auf einem Gartenstuhl, Haar und Schnauzbart tiefschwarz, in der rechten Hand die erloschenen Reste eines Joints. Mutter mit Sonnenbrille, französischem Zopf und buntem Kleid. Ein weißer Opel Corsa aus den Achtzigern, Werner am Steuer, die Kinder winkend auf der Rückbank. Da ist auch das Haus: weiß verputzte Wände, hohes Dach, der gedrungene Turm mit Glaskuppel. Palmen, Kakteen, Bougainvilleen. Ein Bild von Henning und Luna, nackt, mit weißen Sonnenhüten auf den Köpfen. Sie hocken im schwarzen Kies und schauen nach oben in die Kamera. Lunas Mund steht leicht offen, die obere Zahnreihe ist komplett. Zum Schluss entdeckt Henning die Spinnen. Aufgenommen aus nächster Nähe, unzählige, dicht an dicht an einer weißen Wand, ein unheimliches Muster bildend. Ein tolles Bild, wie aus einem Magazin für Naturfotografie.

Er lässt das Foto fallen, läuft zum Dachfenster, reißt es auf, atmet die kalte Luft. Die Welt sieht verwandelt aus im Winterkostüm. Luna tritt neben ihn, mogelt sich in seinen Arm. Er hält sie fest, während er erzählt. Sie sagt nichts, hört einfach zu. Manchmal spürt er, wie sie erschauert.

Als er fertig ist und sie ansieht, blickt Luna aus großen Augen zu ihm auf. Da ist es, das kleine Mädchen. In ihrem Staunen hat es überlebt.

»Kannst du dich an irgendetwas erinnern?«, fragt er.

Luna schüttelt den Kopf. Natürlich nicht, sie war erst zwei. Er nimmt das Smartphone aus der Tasche, zeigt ihr die Liste vergangener SMS und scrollt zurück bis zum ersten Januar. Neujahrswünsche von Mutter und ein paar Freunden. Lunas eigene Nachricht, in der sie ankündigt, nach Neujahr ins Home Office zu ziehen, nur kurz, höchstens für drei Tage. Keine SMS von Theresa. Henning hat das schon unzählige Male überprüft. Da ist nichts. Auf dem Berg hat das Licht stark geblendet, das Display war kaum zu erkennen. Hennings Augen brannten, gereizt von Sonne und Wind. Dazu Erschöpfung, Übermüdung, Dehydrierung und Unterzuckerung.

»Ich muss mir die Nachricht eingebildet haben«, sagt Henning. »Genau wie den ganzen Rest.«

»Das denke ich auch«, sagt Luna. »Überleg mal, wir waren total klein, nicht älter als Bibbi und Jonas. Kinder in dem Alter lässt man doch nicht einfach allein.«

Henning sagt, dass frühe Erinnerungen oft auf Fotos oder Erzählungen beruhen. Man kann sie sogar erzeugen, indem man erwachsenen Menschen manipulierte Bilder aus ihrer Vergangenheit zeigt. Sie erinnern sich dann an Dinge, die gar nicht passiert sind. Luna sagt, sein Unterbewusstsein habe die Fotos aus dem Album aufbewahrt und dann beim Anblick des Hauses in Femés eine ganze Geschichte daraus gebaut. Sie reden lange über das menschliche Gedächtnis, über das Bewusstsein und die Frage, ob die Wirklichkeit mehr ist als die Summe aller Geschichten, die sich die Menschen andauernd selbst erzählen. Ein Henning-und-

Luna-Gespräch. Als Henning zurück in die Wohnung kommt, schläft Theresa schon.

Ein paar Tage vergehen. Die Nach-Urlaubs-Erkältungen klingen ab, die Kinder gehen wieder in den Kindergarten, Theresa und Henning zur Arbeit. Sie kaufen ein, waschen Wäsche, bringen die Wohnung auf Vordermann. Theresa beschwert sich über Luna im Home Office. Die ganz normale Routine. Auch ES richtet sich in Hennings Leben wieder ein. Seit dem Urlaub sind die Attacken von neuer Heftigkeit. Manchmal glaubt Henning nicht nur zu sterben, sondern wünscht es sich auch.

Eines Abends wartet er, bis die Kinder im Bett sind und Theresa in der Küche beschäftigt ist, nimmt das Telefon mit ins Wohnzimmer und schließt die Tür. Gleich nach dem ersten Klingeln hebt die Mutter ab. Sie wartet nicht, bis er seine Frage stellt. Sie sagt, sie habe mit seinem Anruf gerechnet. Als er nach Lanzarote gefahren sei, habe sie gewusst, was kommt.

Henning steht neben der Wohnzimmercouch, starrt in den schwarzen Spiegel des ausgeschalteten Fernsehers, sprachlos, weil sie nicht das kleinste Ausweichmanöver versucht. Die Mutter redet weiter, lebhaft, als sei es eine Erlösung, endlich darüber sprechen zu dürfen.

Selbstverständlich habe sie sich lange Vorwürfe gemacht, sagt sie, aber dann doch ihren Frieden geschlossen. Schließlich sei ja auch nichts passiert. Wie der Gärtner noch mal geheißen habe?

»Noah«, sagt Henning.

Ja, richtig! Werner habe damals wirklich viel gekifft. Den halben Tag habe er zugedröhnt an dieser Mauer gesessen und im Bett wenig bis gar kein Interesse gezeigt. Und dann sei da dieser halbnackte, braun gebrannte Mann durch den Garten gelaufen.

Henning will das nicht hören; gleichzeitig will er es unbedingt. Er sieht wieder das Bild des behaarten Männerrückens. Währenddessen erzählt die Mutter von dem schrecklichen Streit in der Nacht.

»Werner hat getobt. Was er zu mir gesagt hat, kann man nicht wiederholen. Plötzlich ging es nicht nur um Noah, es ging um alles.«

Irgendwann rannte Werner durchs Haus, raffte ein paar Sachen zusammen, steckte Geldbörse und Reisepass ein.

»Er sagte, er werde keinen weiteren Tag mit mir unter einem Dach verbringen. Er wollte zum Flughafen und den ersten Flug zurück nach Deutschland nehmen.«

Erst versuchte die Mutter, ihn am Einsteigen zu hindern, dann lief sie dem Auto hinterher. Sie konnte ihn nicht einfach abhauen lassen, er machte alles kaputt. Es ging schließlich nicht nur um sie, sondern auch um die Kinder. Die lagen friedlich in ihren Betten. Es kam selten vor, dass eins aufwachte und zu den Eltern wollte. Ausgerechnet heute würde das ja wohl nicht der Fall sein. Sie wollte Werner zurückholen und zur Vernunft bringen, sie wären spätestens in zwei Stunden zurück.

An die steile Schotterpiste kann sich die Mutter bestens erinnern. Es war noch nicht ganz dunkel, trotzdem rutschte und stolperte sie mit ihren Sandalen, fiel in den Staub, schürfte sich die Knöchel und rannte weiter. Werner im Mietwagen fuhr schnell, achtete nicht auf Schlaglöcher, ließ den Wagen hüpfen und schlingern und brauste mit aufheulendem Motor davon, als er unten im Dorf die Asphaltstraße erreichte.

Wenig später kam auch die Mutter in Femés an, staubig und leicht hinkend. Überall saßen Menschen vor den Häusern, auch Kinder liefen noch draußen herum. Vor dem kleinen Supermarkt stand ein junger Mann und rauchte eine Zigarette, neben ihm ein altes Motorrad. Die Mutter hatte einen Fünfzigmarkschein dabei, den hielt sie ihm unter die Nase. Sie müsse zum Flughafen, Aeropuerto, sofort. Ein paar Sekunden sah er sie misstrauisch an, dann zuckte er die Achseln, rief etwas in den Laden hinein, schnappte sich den Schein und stieg auf. Die Mutter kletterte auf den Sozius und klammerte sich an dem Jungen fest. Seine Zigarette behielt er im Mundwinkel, bis der Fahrtwind sie ihm wegriss.

Auf den Abwärtsserpentinen legte er sich mächtig in die Kurven, wahrscheinlich genoss er die Fahrt in den Armen einer fremden Frau. Sie fuhren nicht den Steilabstieg Richtung Playa Blanca, sondern den etwas sanfteren Hang nach Arrecife. Es war keine schwere Maschine, der Motor sang in den höchsten Tönen. Aber sie wurde erstaunlich schnell. Der Wind zerrte an den Haaren. Die Mutter dachte an Werner, wie sie ihn am Flughafen einholen und beschwichtigen würde, wie sie gemeinsam zum Mietwagen gehen und zurück zum Ferienhaus fahren würden.

Kurz bevor sie die Schnellstraße nach Arrecife erreichten, kam ihnen in einer scharfen Kurve ein Wagen auf der falschen Spur entgegen. Vielleicht ein betrunkener Engländer, der sich im Linksverkehr glaubte. Weil auf der einen Seite eine Felswand die Straße begrenzte, entschied sich der Junge für die andere. Das Motorrad schoss ins Geröllfeld, wurde vom Lavagestein abrupt gestoppt, die Mutter flog durch die Luft, landete hart, alles wurde schwarz.

»Ich bin erst drei Tage später aufgewacht«, sagt sie. »In einem Krankenhaus auf Teneriffa. Die hatten mich mit dem Hubschrauber dorthin gebracht. Auf Lanzarote gab es keine Intensivstation.«

Sie hatte keine Papiere bei sich, niemand kannte ihren Namen. Niemand wusste, wo sie auf Lanzarote gewohnt hatte oder wer ihre Angehörigen waren. Man hatte sie im künstlichen Koma gehalten, bis die Ärzte sicher waren, sie gefahrlos aufwecken zu können. Als die Polizei ins Ferienhaus in Femés kam, waren Henning und Luna nicht mehr da. Es brauchte nicht lang, sie aufzuspüren. Noah hatte die Kinder mit zu seiner Mutter genommen, die sie versorgte.

Henning sieht das Haus. Er sieht die verwüstete Küche, Scherben am Boden, getrocknete Flüssigkeiten, die Reste aufgeklaubter Nahrungsmittel. Das zerstörte Elternschlafzimmer, das Bad mit dem umgekippten Schränkchen, den Boden voller Blut. Er sieht Lunas erstaunten Blick, als er sie schubst. Ihren schlaffen Körper auf der Schotterpiste, wie ein überfahrenes Tier. Er spürt den Impuls, sich bei seiner Mutter zu entschuldigen, und von diesem Impuls wird ihm schlecht.

Die Kinder wurden nach Teneriffa geflogen. Die Mutter war noch nicht transportfähig, Henning und Luna schliefen im Krankenhaus auf Matten neben ihrem Bett. Sie sagt, Noah habe genau das Richtige getan. Sie hätten ihm viel zu verdanken.

»Was ist passiert, als wir wieder in Deutschland waren?«

»Ich habe die Scheidung eingereicht.«

Henning habe man die Sache noch lange angemerkt. Ständig diese übertriebene Angst um Luna. Nachts sei er schreiend aufgewacht und habe sich kaum beruhigen können. Wenn er die Mutter beim Spielen einmal aus den Augen verloren habe, sei er völlig ausgerastet. Dann habe auch keine Umarmung geholfen. Er habe geschrien und geschrien.

»Was habt ihr eigentlich auf der Aljibe gemacht?«, fragt die Mutter. »Angeblich wart ihr dabei, diese Klappe hochzuheben. Ich habe nie verstanden, was das sollte.«

»Wir wollten euch befreien«, sagt Henning. »Das Monster hatte euch unter die Erde gezogen.«

Das anschließende Schweigen tut ihnen beiden weh. Es ist Zeit, das Gespräch zu beenden.

»Warum hast du mir nie davon erzählt?«, fragt Henning.

Die Mutter atmet hörbar ein und wieder aus.

»Ich dachte, Vergessen sei eine Gnade«, sagt sie. Dann legt sie auf.

Henning verlässt die Wohnung und steigt die zweiundvierzig Stufen zum Home Office hinauf. Jetzt weiß er es also. Er ist traumatisiert, und zwar schwer, jeder Psychologe wird das bestätigen. Dreißig Jahre hat er auf einem unterirdischen Speicher gelebt, auf einer Höhle, verzweifelt bemüht, das Loch nicht zu sehen, durch das man hineinfallen kann. Auf dem ersten Treppenabsatz denkt er, dass sich nun alles ändern wird. Der Knoten ist geplatzt. Licht ist ins Dunkel gefallen, das Monster hat seine Sachen gepackt und ist ausgezogen. Henning wird ES nie wiedersehen. Er ist überglücklich. Er wird frei sein. Er wird seine Kinder lieben, seine Arbeit tun, gute und schlechte Tage haben. Er wird nur noch an normalen Dingen leiden, Erkältungen, Geldsorgen, Streitigkeiten mit seiner Frau. Manchmal wird er eine Nacht nicht schlafen können, und es wird nichts bedeuten. Bald wird ES eine Erinnerung sein, er wird kaum noch wissen, wie es sich angefühlt hat, vielleicht wird er glauben, dass seine überreizte Einbildungskraft die Dinge vergrößert hat, dass ES in Wahrheit gar nicht so schlimm gewesen ist. Sollte er eines Tages Freunden davon erzählen, wird er sagen, dass die ersten Jahre mit den Kindern ganz schön hart gewesen seien. Rough times. Aber glücklicherweise vorbei. Alles überstanden.

Ein Lachen steigt in Hennings Kehle auf. Er nimmt immer zwei Stufen auf einmal, fliegt förmlich ins Dachgeschoss hinauf. Dann stolpert sein Herz. Die ersten Pausen zwischen den Schlägen sind so lang wie noch nie. Er hält sich am Treppengeländer fest, schnappt nach Luft. Binnen Sekunden ist sein Rücken nass vor Schweiß. Er bekämpft den Drang, sich in einer Ecke des Treppenhauses zusammenzurollen. Setzt stattdessen weiter Fuß vor Fuß. Er bemüht sich, seine Atmung unter Kontrolle zu bringen, die Lungen gründlich zu entleeren, ein, ein, aus, aus.

Als er an die Tür klopft, öffnet Luna sofort.

»Hast du sie erreicht?«, fragt sie.

Henning nickt.

»Und?«

»Es war so«, sagt er.

Sie stehen sich gegenüber. Sie muss sehen, wie er zittert, wie ihm der Schweiß den Hals hinunterläuft. Über ihren Kopf hinweg schaut Henning ins Home Office. Es ist unordentlicher denn je. Überall liegen Lunas Sachen herum. Er schließt die Augen und will den Duft ihrer Haare riechen, aber sie steht zu weit weg. Sie sieht aus, als würde sie gleich weinen. Er tritt einen schnellen Schritt vor und zieht sie an sich, jetzt ist es nah genug. Er liebt sie so sehr, dass es wehtut, seine kleine Luna, das Wichtigste, was er hat auf der Welt. Er will sie nie wieder loslassen, für immer festhalten, zu einem einzigen Wesen verschmelzen. Er muss sie retten. Sie und sich selbst. Plötzlich weiß er, wie das geht. Es gibt nur einen Weg.

Er löst sich von ihr und beginnt, Kleidungsstücke vom Boden aufzuheben und in Lunas Reiserucksack zu stopfen. ES lockert den Griff. Im Bad holt er ihr Waschzeug. Den Rucksack trägt er an die Tür.

»Was soll das?«, fragt sie.

»Geh«, sagt er.

Sie schauen sich an. Lunas großer, erstaunter Blick.

»Sofort«, sagt er. »Hau ab.«

Sie gehorcht. Henning tritt ans Fenster, er hört, wie sie die Wohnung verlässt. Er hält sich mit beiden Händen am Fensterbrett fest, um ihr nicht nachzulaufen, sie nicht zurückzuholen. Die Tür knallt ins Schloss. Luna wird es verstehen, denkt Henning, weiß aber nicht, ob er damit recht hat. Sein Herz hat sich beruhigt, nur der

Atem geht noch zu schnell. Trotz der Kälte hat es zu schneien begonnen. Er schaut in das Gewirr aus herabsinkenden Flocken. Wunderbare Langsamkeit. Unten tritt Luna aus dem Haus, eine große Frau. Sie sieht fremd aus im gelblichen Laternenlicht. Sie schaut in beide Richtungen, unentschlossen, wohin sie sich wenden soll. Entscheidet sich für den Weg zum Bahnhof. Dort wird sie sich unter andere Menschen mischen. Ihr Schatten folgt ihr, bleibt zurück, überholt sie wie ein verspielter Hund. Ihre Jacke ist zu dünn, sie wird sich erkälten. Henning öffnet das Fenster, ruft aber nicht. Er lässt den Zigarettengeruch hinaus.

Penguin Random House Verlagsgruppe FSC® N001967

8. Auflage
Genehmigte Taschenbuchausgabe Dezember 2019,
btb Verlag in der Penguin Random House Verlagsgruppe GmbH,
Neumarkter Straße 28, 81673 München
Copyright © 2018 Luchterhand Literaturverlag, München,
in der Penguin Random House Verlagsgruppe GmbH
Umschlaggestaltung: semper smile, München nach einem Entwurf
von buxdesign, München unter Verwendung einer Illustration
von © Ruth Botzenhardt
Druck und Einband: GGP Media GmbH, Pößneck
mr · Herstellung: sc
Printed in Germany
ISBN 978-3-442-71896-2

www.btb-verlag.de
www.facebook.com/btbverlag